Projets pour petits jardins

Projets pour petits jardins

56 projets à réaliser pas à pas

Richard Bird

George Carter

Photographies de
Jonathan Buckley
Marianne Majerus
Stephen Robson

52, rue Montmartre 75002 PARIS

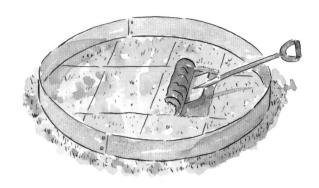

Illustrations : David Atkinson, Richard Bonson,
Martine Collings, Tracy Fennell, Valerie Hill,
Stephen Hird, Sarah Kensington, Sally Launder,
Amanda Patton, Elizabeth Pepperell, Lizzie Sanders,
Helen Smythe, Ann Winterbotham

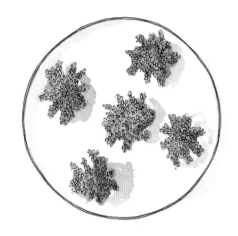

Traduction : Guillaume Eluerd
Maquette française : Anne-Claire Méry

© 2006 pour l'édition française
Éditions De Vecchi S.A.
52, rue Montmartre
75002 Paris

Édition originale publiée en Grande-Bretagne en 2006
par Ryland Peters & Small sous le titre
Projects for Small Gardens.
Tous droits réservés.

Édition originale
Texte © Richard Bird 1998, 2000, 2002, 2006
et George Carter 1997, 2002, 2006
Maquette, illustrations et photographies
© Ryland Peters & Small 1997, 1998, 2000, 2002, 2006

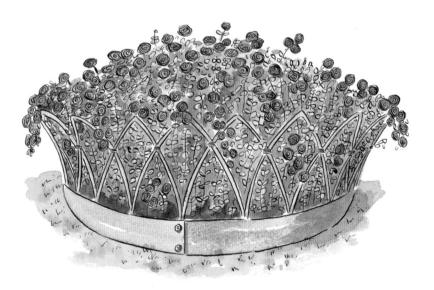

Sommaire

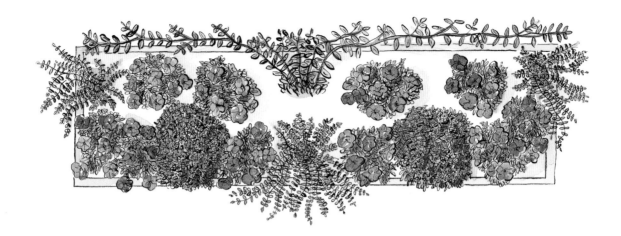

Dessiner et redessiner même le plus petit des jardins peut être décourageant si on le considère comme un tout. Mais si on le divise en une série de petits projets, alors la tâche paraît soudainement plus facile. Bien entendu, vous devez concevoir un plan d'ensemble de votre jardin avant de vous atteler aux projets particuliers ; cependant, une fois que cela est fait, chaque partie de votre jardin peut alors être réalisée à votre rythme.

La plupart des projets de ce livre ont pour but d'ajouter un élément structurel convenant à n'importe quel petit jardin, qu'il soit de caractère classique, romantique ou sauvage. Nombreux sont les jardins qui utilisent la présence de conteneurs comme centre esthétique tout au long de l'année. La jardinière de Versailles présentée en pages 14-17 en est un exemple, surtout si elle accueille un arbuste à feuillage persistant. Les structures plus grandes telles que les arches et les tonnelles jouent aussi un rôle important dans la création d'un petit jardin, car elles répondent au besoin de hauteur d'un espace trop restreint pour un arbre. La composition verticale illustrée en pages 120-123 montre comment conduire un arbre en espalier lorsque l'espace horizontal est réduit.

En plus des projets qui nécessitent une construction, vous trouverez de nombreux schémas de compositions originales et gratifiantes, de plantes à la fois décoratives et comestibles, en plates-bandes ou en bacs, dont certaines peuvent convenir à une cour, un balcon ou encore un rebord de fenêtre.

Conteneurs à faire soi-même

Cache-pot en bois et treillage

Ce conteneur est conçu pour masquer le pot en plastique utilisé dans les compositions saisonnières. Dépourvu de fond, il se pose simplement autour des plantes. De plus, ce type de bac peut réunir des plantes réclamant des substrats différents.

MATÉRIEL & ÉQUIPEMENT

2 planches de contreplaqué d'extérieur de 600 x 380 x 20 mm

2 planches de contreplaqué d'extérieur de 560 x 380 x 20 mm

4 tasseaux en bois tendre raboté de 750 x 50 x 50 mm

13,6 m de bois tendre raboté de 25 x 10 mm pour le treillage

1 l de produit traitant pour bois clair et 1 l de peinture mate

Clous à tête d'homme en acier galvanisé de 50 mm et de 25 mm

Colle PVA imperméable

Vis n° 8 de 50 mm

16 briques de taille standard

4 marguerites (*Argyranthemum frutescens*) en pots de plastique de 250 mm de diamètre

1 Pour assembler les côtés du conteneur, placez le bord des planches les plus courtes sur la face intérieure des plus longues, collez puis renforcez avec des clous de 50 mm. Tracez une ligne tout autour du bac, à 50 mm sous la surface. Le treillage viendra se fixer sous cette ligne.

Pour appliquer le treillage à l'extérieur du conteneur, répétez les étapes 2, 3, 4 et 5 pour chacun des quatre côtés.

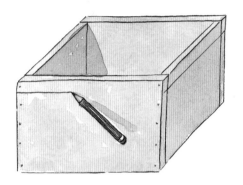

2 Mesurez et coupez une longueur de treillage afin de former une baguette en diagonale. Appliquez la baguette sur le côté du conteneur, sa ligne centrale face à la ligne centrale de la diagonale. Tracez et coupez des onglets à chaque bout de la baguette pour correspondre aux coins du conteneur. Répétez l'opération pour l'autre diagonale mais coupez-la au milieu pour que la baguette puisse se loger contre l'autre. Collez et clouez avec des clous de 25 mm.

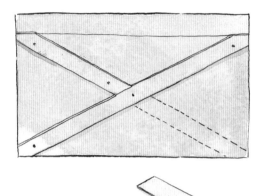

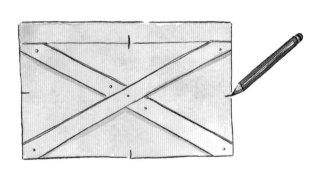

3 Prenez un crayon pour marquer le centre de chacun des côtés. Ces marques serviront de guides pour appliquer le losange central de manière précise.

4 Pour faire le premier des quatre losanges, placez une section de treillage sur une ligne reliant l'un des centres latéraux à l'un des centres verticaux. Coupez la baguette en son milieu pour qu'elle se loge contre le croisillon déjà en place, et coupez l'onglet.

5 Répétez l'étape 4 pour les autres côtés du losange. Placez-les sur le conteneur, en faisant correspondre les onglets. Collez et clouez le tout.

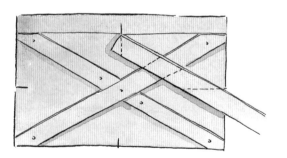

6 Traitez le bois et le treillage du conteneur, tant à l'intérieur qu'à l'extérieur, avec un produit clair et laissez sécher.

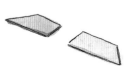

7 Pour former la corniche, coupez en onglets les quatre tasseaux de bois au plus près des sommets du conteneur.

8 Percez des trous le long des quatre coins du haut de façon à pouvoir fixer la corniche sur le conteneur. Vissez la corniche au conteneur de l'intérieur de façon qu'elle s'encastre bien contre le haut du conteneur. Renforcez avec des clous les coins rabotés.

9 Appliquez deux couches de peinture mate de la couleur de votre choix à l'intérieur et à l'extérieur du conteneur.

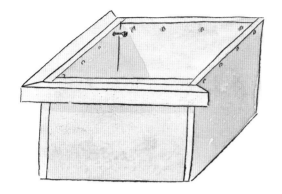

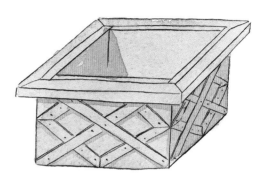

10 Il peut y avoir besoin d'installer un support afin que le sommet des pots soit juste sous la ligne de la corniche. Pour ce projet, deux étages de quatre briques ont été placés sous chacun des pots de façon qu'ils arrivent à 10 mm du sommet du conteneur. Laissez un petit espace entre les briques pour permettre l'évacuation de l'eau.

11 Placez les pots en plastique dans le conteneur, un sur chaque support de briques. Les marguerites ont été choisies pour cet exemple pour l'ampleur de leurs feuilles et de leurs fleurs, qui fonctionne bien avec les proportions du conteneur.

Autres sujets de plantation
Quatre *Fuchsia* x *speciosa* 'La Bianca', quatre *Daphne odorata* 'Aureomarginata', quatre lierres communs (*Hedera helix* 'Erecta') autour d'un buis ordinaire (*Buxus sempervirens*), quatre acanthes (*Acanthus mollis*), quatre *Camellia japonica*.

Jardinière de Versailles

La jardinière de Versailles est un conteneur en bois où les jardiniers du château de Versailles,
au XVIIᵉ siècle, faisaient pousser des plantes exotiques telles qu'orangers, citronniers et palmiers.
L'hiver venu, ils pouvaient facilement rentrer les plantes dans l'orangerie ou les serres.
Les jardinières de Versailles présentent l'avantage de pouvoir se dévisser lors du rempotage
des plantes, et constituent par ailleurs un cache-pot très esthétique.

MATÉRIEL & ÉQUIPEMENT

Planches de bois massif (voir étape 1, page 16)

4 fleurons avec des chevilles de 10 mm de diamètre, ou 4 boules ou pyramides de bois avec des
chevilles de 10 mm de diamètre

1 carré de contreplaqué d'extérieur de 375 x 375 x 10 mm

Vis n° 8 de 50 mm et de 40 mm

Colle PVA imperméable

1 l de produit traitant pour bois ou de peinture d'apprêt à l'huile

Mordant pour bois ou peinture mate

Tessons d'argile

50 l de compost humide

1 myrte (*Leptospermum scoparium*)

1 Découper des planches de bois comme suit :
- 6 planches de 380 x 150 x 25 mm
- 6 planches de 430 x 150 x 25 mm
- 4 tasseaux de 525 x 50 x 50 mm
- 4 tasseaux de 280 x 25 x 25 mm

2 Percez des trous sur les planches les plus petites à 25 mm de chaque coin, pour les vis de 50 mm. Percez les planches les plus grandes à 50 mm de chaque coin.

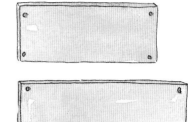

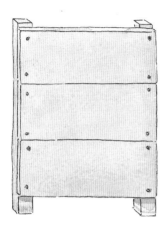

3 Vissez les planches courtes sur les tasseaux les plus longs, bord à bord, en gardant une marge de 50 mm en bas et de 25 mm en haut.

4 Assemblez le reste du conteneur en vissant les planches longues sur la face extérieure de chacun des tasseaux et en les joignant bout à bout. Utilisez des vis de 50 mm.

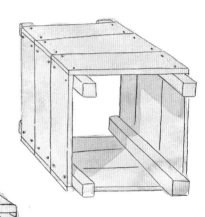

5 Percez les tasseaux courts pour les vis de 40 mm, à 25 mm de chaque côté. Placez un tasseau court de chaque côté de la base intérieure du conteneur. Vissez les tasseaux.

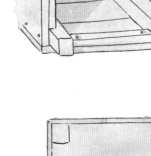

6 Pour loger la base du conteneur, découpez un carré de 50 mm, à 25 mm de chaque côté du contreplaqué. À l'aide d'une perceuse manuelle, faites cinq trous d'évacuation de 25 mm de diamètre en les positionnant comme sur l'illustration. Lâchez la base au fond du conteneur, elle devrait se poser sur les bords des tasseaux fixés précédemment.

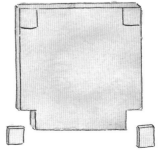

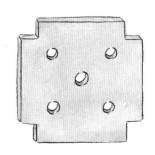

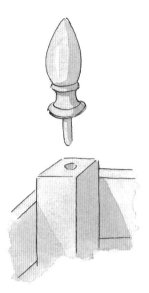

7 Pour fixer les fleurons, percez au centre de chaque sommet des quatre tasseaux longs un trou de cheville de 10 mm de diamètre. Faites couler de la colle dans les trous afin d'y poser les fleurons.

Vous pouvez aussi changer de fleurons en fixant comme ci-dessus une cheville indépendante de 50 mm de long. Une sphère en bois de 50 mm de diamètre, ou bien une pyramide de 130 mm de haut et à la base de 50 x 50 mm posée sur un socle de 25 x 30 x 30 mm, sont les formes qui conviennent le mieux à ce genre de conteneur.

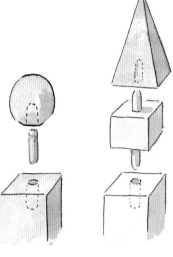

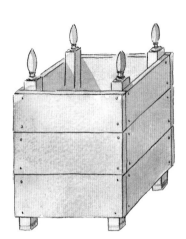

8 Passez une couche de produit traitant à l'intérieur et à l'extérieur du conteneur, puis appliquez du mordant pour bois ou de la peinture. Assurez-vous que la peinture est bien sèche avant de commencer la plantation.

9 Recouvrez le fond avec des tessons de pots en argile et mettez suffisamment de terreau pour que la motte de la plante arrive à 40 mm du haut du conteneur. Sortez la plante de son pot d'origine et démêlez les racines. Posez la plante sur le substrat et remplissez les espaces alentours avec le reste de terreau. Arrêtez à 40 mm de la surface. Tassez légèrement et arrosez bien. Ici on a choisi un myrte, mais la jardinière de Versailles peut aussi accueillir un arbuste plus grand, une topiaire ou de nombreuses plantes d'été.

10 Une fois l'arbre en fleur, taillez les feuilles qui dépassent pour garder une forme sphérique.

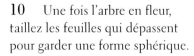

Piliers de portail fleuris

Il est souvent utile de mettre des plantes en hauteur pour qu'elles puissent être admirées de loin.
Installez ces bacs par paire, comme des guérites, ou comme pour marquer une frontière.
Ces piliers en bois ont été conçus pour servir de cache-pots, de façon que chaque plante reste
dans son pot d'origine et puisse être facilement changée au fil des saisons.

MATÉRIEL & ÉQUIPEMENTS

1 planche de contreplaqué de 2 400 x 1 200 x 10 mm

2 carrés de contreplaqué de 290 x 290 x 10 mm

Planches de bois massif ou tendre (voir les étapes 2, 3, 5 et 6, pages 20 et 21)

Produit traitant pour bois d'extérieur ou peinture d'apprêt à l'huile

2,5 l de peinture mate ou microporeuse

Colle PVA imperméable

Clous à tête d'homme en acier galvanisé de 50 mm

Clous en acier galvanisé de 40 mm

Vis n° 8 de 30 mm et de 75 mm

4 *Hydrangea macrophylla*

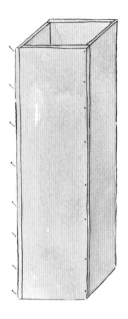

1 Découpez le contreplaqué en huit pièces égales de 1 200 x 300 mm. Assemblez les deux colonnes en collant le bord d'une planche contre le bord intérieur de la suivante, de façon à former un carré. Renforcez en clouant légèrement de biais les planches avec des clous à tête d'homme.

2 Découpez quatre lattes de bois de 290 x 25 x 25 mm chacune qui serviront à caler le support des plantes. Placez deux lattes à l'intérieur de chaque colonne, l'une en face de l'autre, et à 203 mm du sommet. Percez le contreplaqué sur 30 mm. Collez et vissez les lattes.

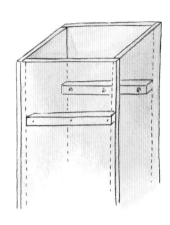

3 Pour faire la corniche, découpez quatre morceaux de bois de 410 x 50 x 50 mm. Rabotez les coins de façon qu'ils se joignent autour du sommet. Collez et clouez les éléments de la corniche au sommet puis clouez chaque bord raboté avec des clous à tête d'homme.

4 Passez une couche de produit traitant sur la totalité du pilier, intérieur et extérieur. Assurez-vous que le fond est aussi bien traité. Quand c'est sec, passez deux couches de peinture mate ou microporeuse sur tout l'extérieur du conteneur, et au-dedans jusqu'aux lattes pour le support.

Si les piliers sont installés sur de la terre, suivez l'étape 5 ; sur du béton ou de la pierre, suivez l'étape 6.

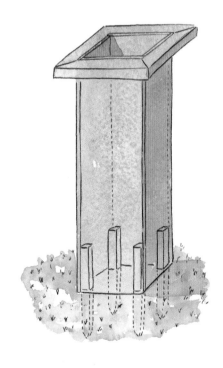

5 Découpez huit pieux en bois de 450 x 30 x 30 mm. Taillez un bout de chaque pieu en pointe. Pour chaque pilier, plantez quatre pieux dans la terre, en fonction des dimensions internes du pilier (290 mm²). Laissez les pieux dépasser de 150 mm au moins. Enfoncez chaque pilier sur les pieux et vérifiez que le tout soit bien droit (utiliser un niveau à bulle). Comblez les éventuels dénivelés du sol avec de la terre jusqu'à ce que les deux piliers soient bien de niveau. Percez les coins inférieurs des piliers puis vissez les pieux au contreplaqué.

6   Pour fixer un pilier sur du béton, découpez quatre lattes de bois de 290 x 50 x 50 mm. Placez deux lattes par pilier, l'une en face de l'autre, à 290 mm de distance. Posez des chevilles pour les vis de 75 mm puis, en utilisant un marteau-piqueur et une pièce de maçonnerie, renforcez-les avec du béton. Logez les piliers sur les lattes. Vérifiez qu'ils sont droits. Percez puis vissez par les côtés les piliers aux lattes, avec des vis de 30 mm.

7   Le support qui servira à poser les plantes est fait à partir de la plaque restante de contreplaqué. Percez cinq trous d'évacuation de 25 mm de diamètre. Passez une couche de produit traitant sur les deux plaques avant de les placer sur les cales internes des piliers.

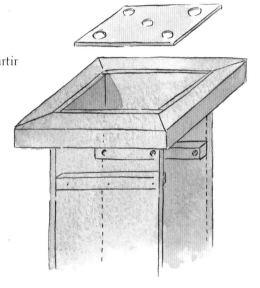

8   Les piliers sont maintenant prêts à accueillir les plantes. Posez les pots directement sur le fond en contreplaqué. Nous avons utilisé des hortensias pour ce projet, mais les hauteurs des piliers et de leur fond peuvent s'ajuster à différentes tailles et formes de plantes.

Autres sujets de plantation
Le buis (*Buxus sempervirens*) ou les marguerites (*Argyranthemum frutescens*) conviennent parfaitement à ce type de conteneur. Vous pouvez ajuster la hauteur des piliers et de leur fond selon la taille et la forme de la plante choisie. Veillez à nourrir et à arroser les plantes selon leurs besoins propres.

Bac à treillis

Le bac à treillis est principalement un conteneur mobile conçu
pour des plantes de grande taille et des grimpantes. Il permet de déplacer l'ensemble
chaque fois que vous voulez changer de configuration. Il fait aussi bien office
de paravent que de cache-pot et s'avère idéal pour un balcon
ou une terrasse où la pose de supports peut poser problème.

MATÉRIEL & ÉQUIPEMENT

Planches de bois massif (voir étape 1, page 24)

Vis n° 8 de 50 mm, 65 mm et 100 mm

Clous à tête d'homme en acier galvanisé de 40 mm

1 planche de contreplaqué de 845 x 345 x 20 mm

13,7 m de bois tendre raboté de 30 x 20 mm pour le treillage

1 l de produit traitant pour bois et 2,5 l de mordant

Tessons d'argile

50 l de compost

1 *Trachelospermum jasminoides*

2 petites pervenches (*Vinca minor*)

3 petites pervenches bleues (*Vinca minor* 'Azurea Flore Plena')

10 *Petunia* 'Dark Blue Dwarf'

1 Découper des planches de bois comme suit :
• 4 planches latérales de 350 x 150 x 25 mm
• 4 planches avant et arrière de 430 x 150 x 25 mm
• 4 tasseaux latéraux de 300 x 50 x 50 mm
• 2 tasseaux de base de 750 x 25 x 25 mm
• 2 tasseaux de base de 250 x 25 x 25 mm
• 2 tasseaux pour les treillis de 1700 x 50 x 50 mm

2 Percez les bords de chacune des planches latérales pour des vis de 50 mm. Vissez les planches aux tasseaux latéraux. Posez deux planches par côté, l'une au-dessus de l'autre, en laissant une marge de 50 mm en bas.

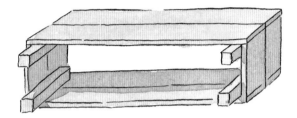

3 Assemblez le conteneur en vissant les planches avant et arrière à la face extérieure des planches latérales. Percez et vissez avec des vis de 50 mm pour renforcer l'assemblage.

4 Percez les tasseaux de base pour des vis de 50 mm. Encastrez-les entre les tasseaux latéraux puis vissez-les.

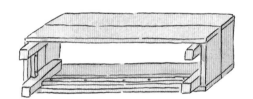

5 Pour le fond, découpez un carré de 50 x 50 mm à chaque coin du contreplaqué. Avant de placer le contreplaqué sur les tasseaux de base, percez cinq trous d'évacuation de 25 mm.

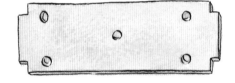

6 Passez une couche de produit traitant sur le conteneur et sur le fond. Quand c'est sec, appliquez deux couches de mordant.

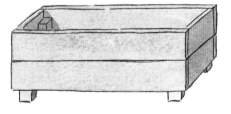

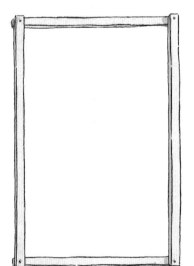
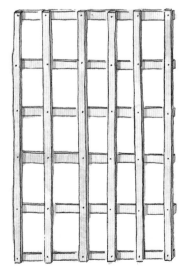

7 Pour fabriquer le treillage, découpez le bois tendre en six segments de 1,35 m et en six autres de 900 mm. Commencez par faire un cadre rectangulaire en clouant deux des segments courts sur deux des segments longs.

8 Divisez chaque côté en cinq parties égales et tracez les divisions au crayon. Commencez par clouer les segments verticaux du treillage à toutes les jonctions. Passez une couche de produit traitant sur toute la structure.

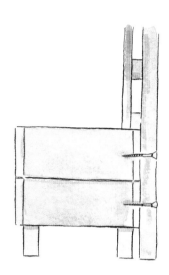

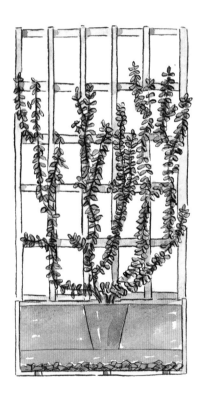

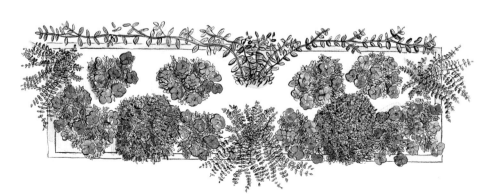

9   Percez les tasseaux pour le treillage pour des vis de 65 mm. Vissez les tasseaux sur le dos du treillage, bord à bord avec le sommet. Vissez à partir de l'avant puis peignez le tout.

10   Pour fixer le bac au treillage, percez les supports du treillage pour les vis de 100 mm. Les trous doivent traverser le treillage et atteindre les tasseaux latéraux du conteneur. Assurez-vous que tous les côtés et le fond sont bien alignés, puis vissez les pièces ensemble.

11   Recouvrez le fond avec des tessons d'argile et suffisamment de terreau pour que la base de la plante soit à 25 mm du haut du conteneur. Utilisez de préférence ici un jasmin assez développé. Si les plantes sont petites, il vaut mieux en mettre deux.

12   Placez la plante au centre et à l'arrière du bac. Séparez les pousses et disposez-les contre le treillis aussi harmonieusement que possible. Attachez-les-y avec du fil de fer plastifié.

13   Placez les petites pervenches sur toute la longueur du conteneur et comblez les espaces vides avec des pétunias. Ajoutez du terreau au fur et à mesure, aplanissez le tout et arroser.. Fertilisez avec un engrais liquide tous les quinze jours.

Autres sujets de plantation
Pour un climat plus froid, plantez un arbuste à feuillage semi-persistant, *Pyracantha coccinea*, entouré de lierre (*Hedera helix*). Le treillis peut aussi servir de fond pour une plante de haie comme l'aubépine, le houx ou même le très méprisé *Aucuba japonica*, qui fleurit même dans les endroits les plus pollués.

Jardinière aromatique

Cette jardinière vous donnera l'occasion de cultiver des herbes aromatiques même dans un espace très limité. La composition de couleurs présentée ici a été réalisée à partir de sauge dorée, de basilic pourpre et d'origan. Mais rien ne vous empêche de concevoir votre propre composition. Par exemple, un agencement symétrique d'herbes tapissantes et touffues avec un fort contraste de couleurs peut créer un effet particulièrement décoratif.

MATÉRIEL & ÉQUIPEMENT

1 jardinière en bois de 780 x 300 x 250 mm

Tasseaux de bois de 1100 x 20x 6 mm

Tasseaux de bois pour la corniche de 1175 x 30 x 30 mm

Vis n° 8 de 50 mm

Clous à tête d'homme en acier galvanisé de 40 mm

Colle PVA imperméable

1 l de produit traitant pour bois

1 l de mordant (mélange vert pâle et gris-noir)

50 l de compost organique

1 conteneur en plastique

Aromatiques en pot (voir page 29)

1   Cette jardinière peut être achetée en magasin ou bien fabriquée par vos soins. Si vous désirez la fabriquer, vous trouverez toutes les indications nécessaires en page 246.

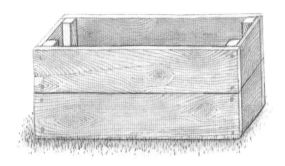

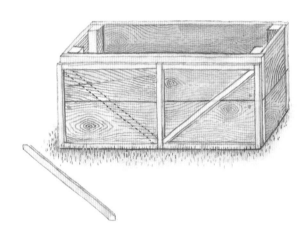

2   Pour fixer le contour, coupez trois lattes de 270 mm de hauteur à partir du tasseau de 20 x 6 mm. Collez et clouez les lattes sur le devant de la boîte, à 30 mm du sommet. Coupez quatre lattes de 360 mm qui iront se loger entre les lattes verticales.

3   Pour fixer les diagonales, découpez quatre lattes de 450 mm de hauteur à partir du tasseau de 20 x 6 mm. Posez deux des lattes en diagonale comme sur l'illustration. Tracez les angles avec un crayon de façon que les lattes puissent se loger entre les lattes verticales et les horizontales. Coupez, collez et clouez.

4   Pour faire la croix, découpez deux lattes supplémentaires de 450 mm. Coupez ces lattes en deux puis rabotez-les afin qu'elles puissent se loger comme sur l'étape 3. Collez, clouez et enlevez tout excès de colle.

5   Pour faire la corniche, prenez le tasseau de 30 x 30 mm et coupez comme suit : un tasseau de 840 mm pour l'avant, un de 780 mm pour l'arrière, et deux de 310 mm pour les côtés. Laissez le tasseau arrière de côté et coupez un onglet à tous les autres. Vissez de l'intérieur. Appliquez le produit traitant et le mordant.

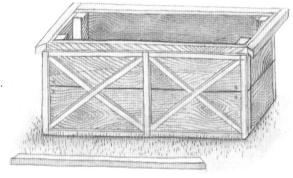

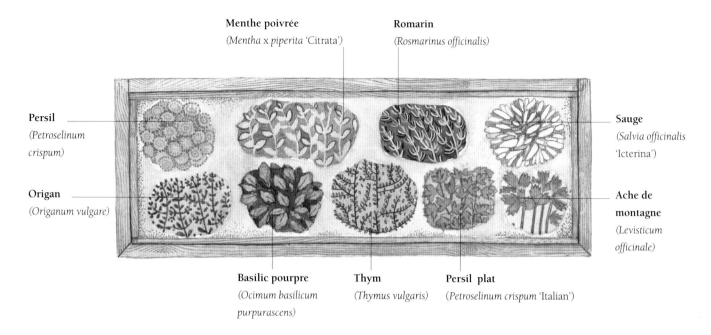

Menthe poivrée
(*Mentha x piperita* 'Citrata')

Romarin
(*Rosmarinus officinalis*)

Persil
(*Petroselinum crispum*)

Sauge
(*Salvia officinalis* 'Icterina')

Origan
(*Origanum vulgare*)

Ache de montagne
(*Levisticum officinale*)

Basilic pourpre
(*Ocimum basilicum purpurascens*)

Thym
(*Thymus vulgaris*)

Persil plat
(*Petroselinum crispum* 'Italian')

6 Lorsque le bac est sec, remplissez aux trois quarts de terreau et placez les herbes aromatiques comme ci-dessus. La menthe peut être envahissante, il faut donc la garder dans son pot et enterrer le tout dans le terreau. Remplissez la jardinière à ras bord et arrosez bien. Arrosez et taillez régulièrement.

Banc de camomille

Ce banc de gazon d'origine médiévale est fait d'une plate-bande surélevée qu'on peut fabriquer en brique ou en bois. Il accueille des plantes aromatiques, comme la camomille, ou du gazon frais, et offre un endroit confortable. Ces bancs étaient souvent placés dans une niche ou sous une tonnelle de plantes en festons et de grimpantes au parfum délicat telles que le chèvrefeuille ou la rose. Ce banc est recouvert d'un mordant gris pour imiter du chêne délavé par le temps.

MATÉRIEL & ÉQUIPEMENT

9,9 m de bois massif de 150 x 25 mm

2 m de tasseau de bois massif de 50 x 50 mm

2,8 m de tasseau de bois massif de 25 x 25 mm

Vis n° 8 de 50 mm et 40 mm

Planche de contreplaqué d'extérieur de 1 145 x 445 x 10 mm

4 fleurons de 100 mm de hauteur et des chevilles de 10 mm

1 l de produit traitant pour bois clair

2,5 l de mordant gris-noir

40-50 l de compost organique

52 pots de camomille

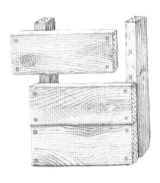

1   Découpez six longueurs de 450 mm dans le bois massif de 150 x 25 mm, et quatre longueurs de 500 mm dans le tasseau de 50 x 50 mm. Percez les quatre coins des planches de 450 mm obtenues, pour les fixer aux montants de 500 mm avec des vis de 50 mm. Poncez les bouts rugueux.

2   Découpez trois longueurs de 1 200 mm dans le bois massif de 150 x 25 mm. Percez les planches aux quatre coins, puis vissez-les aux panneaux latéraux. Lors de cette opération, couchez le banc sur le côté pour plus de stabilité.

3   Découpez trois autres longueurs de 1 200 mm dans le bois massif de 150 x 25 mm. Percez les planches aux quatre coins, puis vissez les trois planches arrière aux panneaux latéraux. Lors de cette opération, couchez le banc sur le côté pour plus de stabilité.

4   Découpez deux lattes de 1 050 mm, puis deux de 350 mm dans le tasseau de 25 x 25 mm. Avec des vis de 40 mm, fixez de l'intérieur les lattes sur les planches supérieures latérales, en les positionnant à 110 mm du sommet. Ces lattes donneront une bonne assise au contreplaqué qui portera la couche de camomille.

5 Percez le contreplaqué de quinze trous de 25 mm de diamètre. Utilisez soit une tête plate de perceuse électrique, soit une perceuse manuelle. Les trous doivent être espacés de 170 mm en sur la longueur et de 90 mm sur la largeur.

6 Découpez un carré de 50 x 50 mm à chaque coin de la planche de contreplaqué et posez la planche sur les lattes de support.

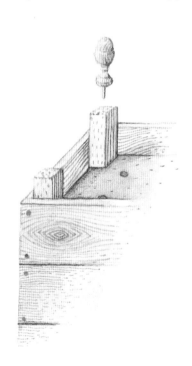

7 Percez un trou de 10 mm de diamètre sur le sommet des montants verticaux pour y introduire les fleurons. Si le bois n'est pas traité, appliquez sur le banc un produit traitant puis recouvrez-le de mordant.

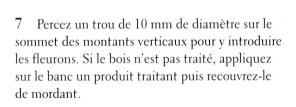

8 Garnissez le creux du banc avec une couche de compost. Répartissez les plants de camomille en deux rangs de douze et deux rangs de quatorze. Comblez les espaces avec du compost, jusqu'à ce que la surface atteigne quasiment le bord. Arrosez et taillez la camomille régulièrement.

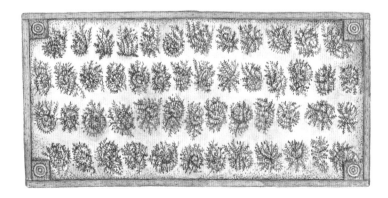

Jardinière parfumée

La place idéale pour une jardinière parfumée est sous la fenêtre.
Les odeurs de lavande, de romarin ou de thym peuvent ainsi se répandre dans les pièces.
Vous pouvez ajuster la hauteur du support en fonction de celle de vos fenêtres.
Choisissez une fenêtre bien exposée et arrosez régulièrement vos plantes, surtout en été.

MATÉRIEL & ÉQUIPEMENT

1 conteneur en contreplaqué de 900 x 200 x 200 mm

1 baguette de contreplaqué de 1400 x 25 x 25 mm

Tasseau de bois raboté de 3 000 x 50 x 50 mm

Planche de bois raboté de 4 050 x 50 x 25 mm

Planche de bois raboté de 3 400 x 40 x 25 mm

Clous à tête d'homme en acier galvanisé de 40 mm

Vis n° 8 de 50 mm

Colle PVA imperméable

1 l de produit traitant pour bois clair et 1 l de peinture mate

2 morceaux de tôle de 1 450 x 90 mm et 2 autres de 800 x 40 mm

Clous de 20 mm

Terreau végétal

Aromatiques en pot

Cisailles

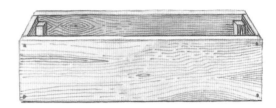

1 Le conteneur en contreplaqué peut être acheté en magasin ou bien fabriqué par vos soins. Vous trouverez toutes les indications nécessaires à sa fabrication en page 246.

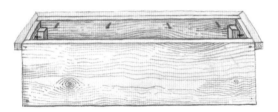

2 Pour réaliser la corniche, coupez tout d'abord deux tasseaux latéraux de 230 mm et un tasseau frontal de 950 mm. Coupez deux onglets sur celui de 950 mm et seulement un sur ceux de 230 mm. Positionnez la corniche autour du sommet du conteneur, collez et clouez de l'intérieur.

3 Pour fabriquer le support, coupez la planche de 50 x 25 mm en quatre segments de 950 mm et quatre de 250 mm. Coupez en onglets toutes les pièces aux deux extrémités. Collez et clouez les jointures.

4 Coupez le tasseau de 50 x 50 mm en quatre montants de 750 mm. Percez les cadres dans les coins et vissez sur les montants, en plaçant le bord d'un cadre à 10 mm au-dessus du sommet des montants et le bord de l'autre à 130 mm à partir du bas.

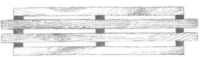

5 Pour réaliser l'étagère du bas, découpez la planche de 40 x 25 mm en deux lattes de 800 mm et deux de 900 mm. Positionnez les lattes comme sur l'illustration, sur trois supports de 200 mm. Posez les lattes intérieures sur les supports et laissez les lattes extérieures dépasser de 50 mm de chaque côté. Clouez.

6 Tournez l'étagère tête en bas et encastrez-la dans l'armature de la base. Percez les supports de l'étagère puis vissez-les sur les montants. Pour renforcer la structure, clouez les supports sur l'extérieur de l'armature. Si le bois n'est pas traité, recouvrez le conteneur et son support d'un produit traitant puis passez deux couches de peinture mate.

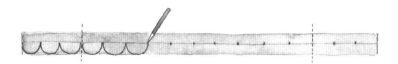

7 Tracez une ligne au centre du morceau de tôle de 1 450 mm. Tracez deux sections de 250 mm de long sur les côtés. Divisez les sections latérales par trois et la section centrale par dix. Dessinez des festons entre ces marques sur toute la largeur de la bande. Découpez les motifs aux cisailles. Répétez l'opération pour la seconde bande.

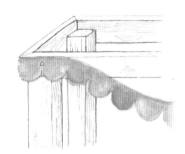

8 Clouez une bande par cadre. Positionnez le bord droit contre le sommet sur une extrémité, dépliez et aplanissez les coins avec une massette. Clouez puis aplanissez l'autre coin et clouez l'autre extrémité.

9 Découpez en V le bout des deux dernières bandes. Pliez les bandes sur 150 mm et courbez la section centrale en demi-cercle. Tordez pour créer l'effet de vague. Tracez trois points de fixation à 25 mm de la corniche : un point au centre et deux à 50 mm de l'extrémité. Clouez les rubans au conteneur, en les faisant chevaucher à leur point de rencontre.

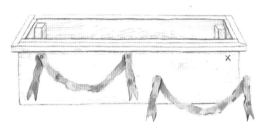

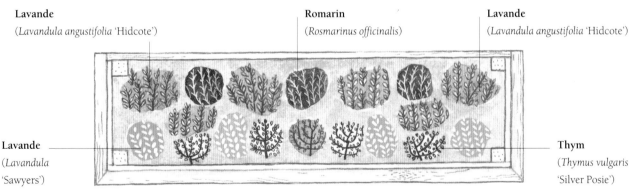

Lavande
(*Lavandula angustifolia* 'Hidcote')

Romarin
(*Rosmarinus officinalis*)

Lavande
(*Lavandula angustifolia* 'Hidcote')

Lavande
(*Lavandula* 'Sawyers')

Thym
(*Thymus vulgaris* 'Silver Posie')

10 Garnissez de terreau le fond du bac. Dépotez les herbes et disposez-les suivant le schéma de plantation. Ajoutez du terreau autour des plantes jusqu'à 25 mm du bord du bac, puis arrosez bien. L'étagère du dessous peut être utilisée pour disposer des pots de plantes parfumées en complément de celles du bac.

Jardinière de balcon

Une terrasse, un balcon ou tout autre petit jardin sont autant d'endroits parfaits pour planter des aromatiques. Ces élégantes jardinières peuvent composer des scènes aux teintes dorées, argentées et pourpres. Vous pouvez choisir de combiner des plantes purement décoratives avec des aromatiques. Ces jardinières ont l'avantage d'être décoratives vues de l'intérieur mais aussi vues du dehors.

MATÉRIEL & ÉQUIPEMENT

4 conteneurs en bois raboté de 900 x 200 x 200 mm

Tasseau de 1 530 x 25 x 25 mm (facultatif)

1 l de produit traitant pour bois clair

1 l de peinture d'apprêt gris foncé

1 l de peinture brillante vert foncé

8 suspensions en métal de 600 mm

24 boulons d'une longueur de 40 mm et d'un diamètre de 6 mm

Terreau à base de tourbe

2 pots en plastique de 230 mm de diamètre

Aromatiques en pot

Marteau

Étau

1 La jardinière peut être achetée en magasin ou bien fabriquée par vos soins. Si vous désirez la fabriquer, vous trouverez les indications nécessaires en page 246. Si le bois n'est pas traité, appliquez un produit traitant sur la jardinière, une couche d'apprêt puis une couche de peinture brillante.

2 À partir du tasseau de 25 x 25 mm, vous pouvez ajouter une corniche en découpant deux longueurs de 230 mm et une de 965 mm. Voir l'étape 2 du plan de montage de la jardinière page 36 pour la découpe et l'assemblage des bacs.

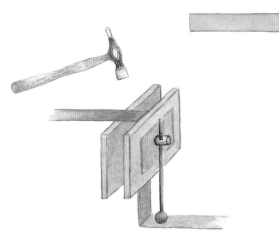

3 Les suspensions doivent être fabriquées sur mesure en fonction de la rambarde du balcon qui dans ce cas précis mesure 130 x 150 mm. Délimitez deux sections de 200 mm, une de 130 mm et une de 80 mm sur chacune des suspensions.

4 Pliez les suspensions par sections à l'aide d'un étau, comme sur l'illustration, puis utilisez le marteau pour effiler les bords. Les suspensions doivent bien épouser la rambarde afin de supporter les bacs.

5 Passez une sous-couche puis une couche de peinture brillante sur les suspensions. Percez trois trous de 6 mm de diamètre dans chacune des suspensions et fixez les suspensions aux bacs, en mettant les boulons à l'intérieur, comme sur l'illustration. Pour vous assurer que les bacs seront bien dos à dos le long de la rambarde, fixez les suspensions sur deux bacs à 100 mm de leurs bords, et à 150 mm pour les deux autres.

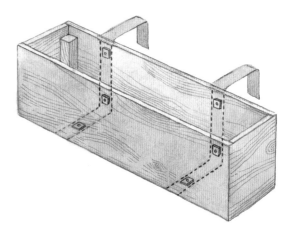

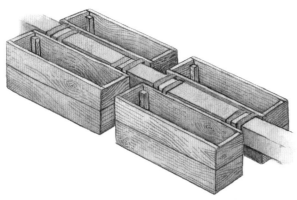

6 Posez les suspensions sur la rambarde. L'illustration sur la gauche montre comment les suspensions ont été volontairement décalées pour avoir une assise plus sûre.

7   Remplissez les jardinières de terreau de façon que les mottes arrivent à 25 mm de la surface. Installez les plantes selon les quatre compositions illustrées ci-dessous. Placez les pots les plus grands en premier, puis les plus petits. Versez le reste de terreau puis arrosez bien. Gardez la menthe dans un pot en plastique pour éviter qu'elle n'envahisse tout.

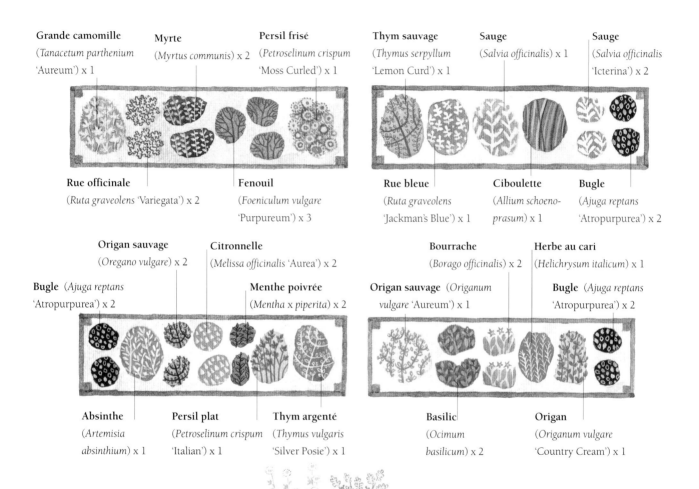

Grande camomille (*Tanacetum parthenium* 'Aureum') x 1

Myrte (*Myrtus communis*) x 2

Persil frisé (*Petroselinum crispum* 'Moss Curled') x 1

Rue officinale (*Ruta graveolens* 'Variegata') x 2

Fenouil (*Foeniculum vulgare* 'Purpureum') x 3

Thym sauvage (*Thymus serpyllum* 'Lemon Curd') x 1

Sauge (*Salvia officinalis*) x 1

Sauge (*Salvia officinalis* 'Icterina') x 2

Rue bleue (*Ruta graveolens* 'Jackman's Blue') x 1

Ciboulette (*Allium schoenoprasum*) x 1

Bugle (*Ajuga reptans* 'Atropurpurea') x 2

Origan sauvage (*Oregano vulgare*) x 2

Citronnelle (*Melissa officinalis* 'Aurea') x 2

Bugle (*Ajuga reptans* 'Atropurpurea') x 2

Menthe poivrée (*Mentha x piperita*) x 2

Absinthe (*Artemisia absinthium*) x 1

Persil plat (*Petroselinum crispum* 'Italian') x 1

Thym argenté (*Thymus vulgaris* 'Silver Posie') x 1

Bourrache (*Borago officinalis*) x 2

Herbe au cari (*Helichrysum italicum*) x 1

Origan sauvage (*Origanum vulgare* 'Aureum') x 1

Bugle (*Ajuga reptans* 'Atropurpurea') x 2

Basilic (*Ocimum basilicum*) x 2

Origan (*Origanum vulgare* 'Country Cream') x 1

8   Coupez régulièrement les herbes pour éviter qu'elles ne deviennent trop grandes. Entre la fin de l'été et le début de l'automne, taillez les plants d'absinthe, de rue, de sauge, de myrte et d'immortelles.

Seaux en acier galvanisé

Suspendre des sceaux en acier galvanisé sur des crochets en S est une façon avantageuse et économique de disposer des plantes. Cette composition originale, comme celle présentée ici, ajoute d'une manière très simple des touches colorées et une décoration mouvante sur une surface vide. Choisissez des fleurs similaires aux couleurs éclatantes et aux formes claires pour contraster avec le profil ordinaire et la surface gris argenté des seaux.

MATÉRIEL & ÉQUIPEMENT

3 seaux en acier galvanisé de 300 mm de diamètre

3 crochets équerre en acier galvanisé de 220 mm au sommet et 250 mm de côté

3 pitons avec un œil du même diamètre que le trou des crochets équerre

3 crochets en S de 80 mm

Vis n° 10 de 50 mm

Tessons d'argile

15 l de terreau

4 roses d'Inde (*Tagetes erecta*)

2 soucis (*Calendula officinalis*)

2 *Artemisia* 'Powys Castle'

2 chrysanthèmes

2 rudbeckias (*Rudbeckia hirta*)

1 Préparez les seaux pour la plantation en perçant trois trous d'évacuation à la base de chaque seau.

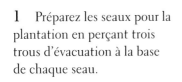

2 Recouvrez le fond de chaque seau d'une couche de 25 mm de tessons d'argile.

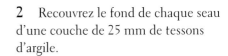

3 Remplissez aux deux tiers les seaux de terreau. Dépotez quatre plantes et posez-les dans chaque seau, le dessus de la motte à 25 mm du haut du conteneur. Remplissez de terre le reste du seau en partant du bord puis en recouvrant légèrement la motte. Aplanissez et gardez une humidité constante.

4 Choisissez un endroit convenable pour accrocher les seaux. Les plantes retenues pour ce projet ont besoin de beaucoup de soleil, il faut donc leur donner un endroit très ensoleillé, comme un mur orienté plein sud. Marquez la position de chaque seau avec un crayon. Dans cet exemple, les crochets sont espacés de façon à permettre aux plantes de grandir.

Pour fixer les crochets sur de la pierre, suivez l'étape 5.
Pour fixer les crochets sur du bois, suivez l'étape 6.

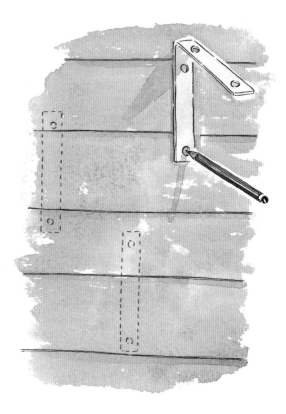

5 Pour un ouvrage de maçonnerie, utilisez les vis et les chevilles appropriées. Percez le mur à la perceuse électrique.

6 Pour du bois, utilisez des vis de fixation. Si possible, vissez sur l'un des supports verticaux de la charpente du panneau en bois.

7 Faites passer le piton à travers le trou de l'équerre et fixez avec l'écrou. La hauteur du seau peut être ajustée en fonction de la position de l'écrou. Insérez le crocher en S dans l'œil du piton.

8 Ce seau est composé de rudbeckias et de chrysanthèmes. Il est très important d'arroser souvent les plantes car les conteneurs s'assèchent très rapidement. Contrôlez l'humidité une fois par jour, si possible.

Autres sujets de plantation
Apportez un rayon de soleil à un mur nu en garnissant vos seaux d'hélianthes (*Helianthus*), de *Coreopsis tinctoria* et de *Gazania* 'Orange Beauty'.

Conteneurs décorés

Bac à coquillages

C'est l'une des façons les plus simples d'améliorer l'aspect d'une jardinière en béton.
Une feuille d'aluminium ajoute de la brillance aux coquillages, mais n'importe quel métal fait
aussi bien l'affaire. La composition proposée est dans les tons bleus qui complètent le gris argenté
du bac et des coquillages. Si vous choisissez de faire votre propre composition, essayez de rester
dans les mêmes tons, les mélanger peut nuire à l'impact esthétique du conteneur.

MATÉRIEL & ÉQUIPEMENT

1 bac en béton de 600 x 250 mm

5 grandes coquilles Saint-Jacques de taille similaire

1 l de peinture d'apprêt gris sombre

1 petite bouteille de vernis copal et une feuille d'aluminium

1 pinceau

Résine polyester à inclusion prise UV et mastic

30 l de terreau

Tessons d'argile

Plantes en pots de 80 à 100 mm, des espèces suivantes :

5 *Delphinium belladonna* 'Wendy'

3 héliotropes du Pérou (*Heliotropium peruvianum* 'Royal Marine')

5 *Laurentia axillaris* 'Blue Star'

5 *Aptenia cordifolia* 'Variegata'

1   Peignez les quatre côtés du bac avec la peinture d'apprêt, ainsi que les 25 premiers millimètres de l'intérieur.

2   Prenez les coquilles Saint-Jacques (vous pouvez en acheter chez le poissonnier ou dans un magasin de décoration). Nettoyez et séchez-les avant de les traiter. Peignez les bords convexes d'une seule couche de peinture d'apprêt.

3   Lorsque la peinture est sèche, passez une couche de vernis copal. Attendez que la couche de vernis soit sèche mais encore un peu collante avant d'y attacher la feuille de métal.

4   Appliquez la feuille sur la surface collante de la coquille. Pour vérifier que le vernis est bien prêt pour le transfert, appliquez un coin de la feuille sur la coquille. Si elle adhère aussitôt, le vernis est prêt.

5   Appliquez la feuille sur le reste de la coquille et frottez avec du coton, puis retirez la feuille de protection. Pour créer un effet de craquelures, déposez la feuille sur la surface de la coque, mais ne frottez que le long des nervures de façon que lorsque vous retirez la feuille de protection, le métal ne soit pas bien posé dans les intervalles.

6   Marquez la position des coquilles (en repérant leur centre) sur les côtés du bac avec un crayon de couleur ou de la bande adhésive. Posez une coquille sur chaque côté du bac, et les trois autres, équidistantes, sur l'avant.

7   Les coquilles sont prêtes à être fixées au bac. Mélangez la résine ; la quantité nécessaire est d'environ la taille d'une balle de golf. Avec l'applicateur ou une spatule en bois, déposez à quatre ou cinq endroits une grosse boule de colle sur les bords de la coquille, comme sur l'illustration.

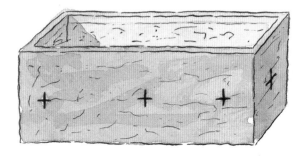

8 Couchez le bac sur sa face arrière. Pressez chaque coquille en la centrant sur une des marques de l'avant et retirez la colle qui dépasse des bords avec un applicateur propre.

9 Lorsque la colle est sèche, remettez le bac debout et fixez les coquilles sur les côtés. Maintenez les coques en position pendant que la résine sèche.

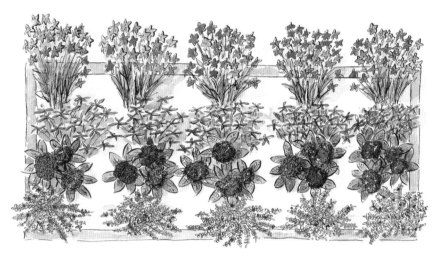

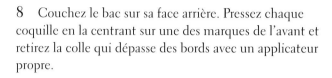

10 Installez le bac dans un endroit ensoleillé et plantez au mois de juin, en vous inspirant de l'illustration à gauche. Les plantes sont disposées en rang et suffisamment espacées pour pouvoir toutes tenir dans le bac : au fond, les delphiniums, suivis des laurentias, et par-devant les héliotropes et les aptenias.

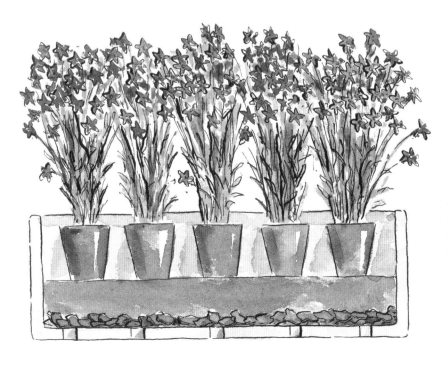

11 Recouvrez les trous d'évacuation de tessons d'argile et remplissez à moitié le bac de terreau. Placez le rang de delphiniums d'abord puis les autres. Comblez le bac de terreau jusqu'à 25 mm de la surface. Aplanissez et arrosez.

Autres sujets de plantation
Convolvulus sabatius et *Vinca minor 'Alba Variegata'* au printemps, et en hiver des pervenches à floraison précoce.

Bac en tôle

La tôle patinée présente une superbe couleur gris argenté. Cet effet est rapide et simple à réaliser. Vous pouvez simuler un bac en tôle en fixant des feuilles de tôle sur un cadre en bois. Mais il faut faire attention à sa taille et à son emplacement. Une jardinière doit être vissée sur le rebord de la fenêtre ou retenue par des crochets. Avant de vous lancer dans ce projet, assurez-vous que ce type de conteneur convient à l'allure et à l'architecture de votre immeuble.

MATÉRIEL & ÉQUIPEMENT

1 bac en bois de 950 x 250 x 230 mm

2 tasseaux de bois tendre de 285 x 30 x 30 mm

1 tasseau de bois tendre de 1 030 x 30 x 30 mm

Vis n° 8 de 40 mm

Clous galvanisés de 20 mm

Produit traitant pour bois clair

1 bouteille de vinaigre blanc

Morceaux de tôle de 1 430 x 250 mm et de 1 550 x 130 mm

6 *Senecio cineraria*

5 *Petunia* 'Ruby'

4 *Osteospermum* 'Whirly Gig'

3 campanules roses (*Campanula carpatica*)

3 *Nemesia caerulea* • 3 violettes de Perse (*Exacum affine*)

Cisailles

1   Traitez l'intérieur et l'extérieur du bac. Enfilez des gants de protection avant de manipuler la tôle et lavez-vous les mains une fois le travail terminé. Coupez avec des cisailles.

2   Clouez, sur le haut et le bas, la bande de tôle la plus large sur une des extrémités du bac.

3   Enveloppez l'avant du bac avec la tôle et aplanissez le coin avec une massette pour qu'il soit bien net.

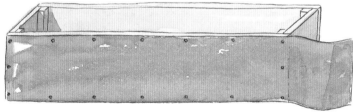

4   Clouez l'avant, en haut et en bas, tous les 100-150 mm. Aplanissez l'autre côté et clouez la face restante.

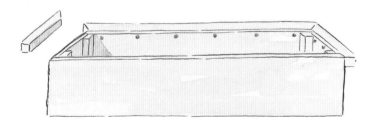

5   Coupez un onglet sur les tasseaux courts et deux sur le long. Vissez de l'intérieur les tasseaux au haut du bac de façon à former une corniche.

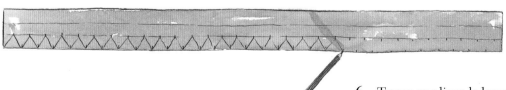

6   Tracez une ligne le long de la seconde bande de tôle, avec un clou et une règle, à 60 mm du haut. Divisez la partie du bas en 31 sections de même taille mais en commençant à 25 mm de chaque extrémité.

7   Joignez les marques pour former un motif en zigzag et découpez-les aux cisailles.

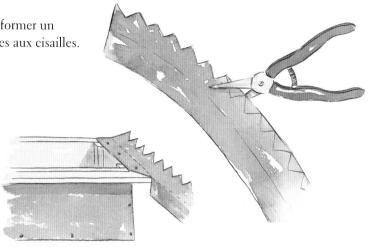

8   Clouez le bord droit de la bande sur le bord supérieur droit du bac. Aplanissez et coupez ce qui dépasse de la corniche en suivant bien le bord. Rabattez le motif en zigzag sur l'avant du bac.

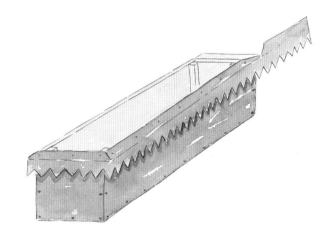

9   Clouez la suite de la bande en prenant soin que le motif en zigzag épouse bien la corniche. Complétez le tour en suivant la même méthode.

10   Pour donner une patine au conteneur, appliquez du vinaigre blanc avec un tissu humide. Continuez jusqu'à ce que la tôle devienne gris-blanc.

11   Si votre rebord de fenêtre est en pente, posez des cales afin de mettre la base de la jardinière à niveau. Vissez le bac ou les crochets sur le cadre de la fenêtre.

12   Posez une couche d'argile puis remplissez le bac à moitié de terreau. Identifiez les plantes à installer grâce à leurs couleurs et leurs nombres en page 52. Complétez en terreau jusqu'à 25 mm du haut. Aplanissez et arrosez.

Jardinière rustique du XVIIIe

C'est au XVIIIe siècle que débute la mode des objets ornés de rondins.
Ce projet est inspiré du paysagiste de la Régence Humphrey Repton, qui reprenait
les formes de l'architecture classique avec des matériaux rustiques pour former
des colonnes en rondins et des festons en pommes de pin.

MATÉRIEL & ÉQUIPEMENT

Planche de contreplaqué d'extérieur et tasseaux de bois tendre (voir étape 1, page 58)

1 l de produit traitant pour bois clair et 1 l de mordant pour bois vert

4 m de rondins de 60-65 mm de diamètre

3 grandes et 8 petites pommes de pin

Vis n° 8 de 40 mm

Clous galvanisés de 80 mm

Clous à tête d'homme galvanisés de 50 et 65 mm

Tessons d'argile

30 l de tourbe

3 fougères mâles (*Dryopteris filix-mas*)

6 fougères femelles (*Athyrium filix-femina cristatum*)

9 nierembergias (*Nierembergia*)

1 petit sac de sphaigne

1   Découpez le contreplaqué comme suit :
• 2 planches avant et arrière de 900 x 250 x 20 mm
• 2 planches latérales de 160 x 250 x 20 mm
• 1 planche de fond de 900 x 200 x 20 mm

Découpez les tasseaux comme suit :
• 4 tasseaux latéraux de 25 x 25 x 250 mm
• 2 tasseaux de support de 25 x 25 x 810 mm

2   Percez le coin des planches latérales et vissez-les aux tasseaux latéraux.

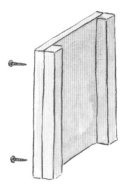

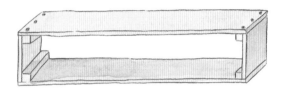

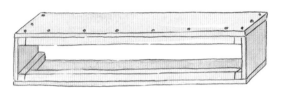

3   Percez le coin des planches avant et arrière et vissez-les aux bords extérieurs des planches latérales.

4   Logez les tasseaux de support entre les tasseaux latéraux et vissez-les aux planches avant et arrière.

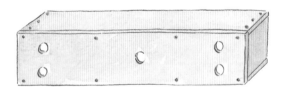

5   Percez le fond de cinq trous de drainage de 25 mm de diamètre puis vissez le fond aux tasseaux de support.

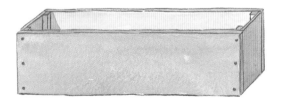

6   Appliquez le produit traitant sur tout le conteneur, puis, lorsqu'il est sec, passez une couche de mordant sur l'extérieur seulement.

7   Pour décorer l'avant du conteneur, découpez deux longueurs de rondin de 900 mm et deux autres de 250 mm. Coupez en onglet tous les segments et clouez sur la face avant du bac. Clouez légèrement de biais en veillant à ce que les coins se rejoignent.

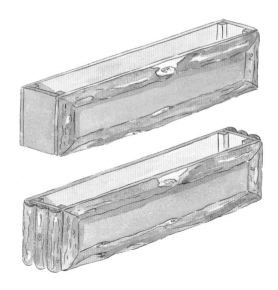

8   Pour les côtés, découpez six longueurs de rondin de 250 mm chacune. Clouez-en trois de chaque côté, posées verticalement.

9 Coupez en deux, dans le sens de la longueur, une grande pomme de pin avec une scie à métaux. Utilisez un étau ou bien clouez un côté à une planche, de façon à maintenir la pomme pendant que vous la sciez. Clouez la demi-pomme, la queue vers le sol, au centre du bac avec des clous de 50 mm.

10 Pour compléter la décoration frontale, coupez en deux les petites pommes de pin dans le sens de la longueur. Si vous n'avez pas d'étau, vous pouvez construire un support à découper en collant et clouant deux tasseaux de 50 x 25 mm à une planche de contreplaqué. Posez les tasseaux en suivant la forme de la pomme de pin, mais en laissant de l'espace au sommet pour faire passer la scie. Poussez chaque pomme entre les tasseaux et bloquez avec deux clous galvanisés de 40 mm, puis coupez en deux avec la scie à métaux.

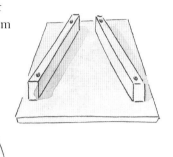

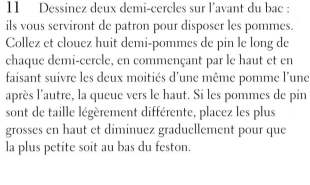

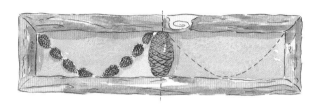

11 Dessinez deux demi-cercles sur l'avant du bac : ils vous serviront de patron pour disposer les pommes. Collez et clouez huit demi-pommes de pin le long de chaque demi-cercle, en commençant par le haut et en faisant suivre les deux moitiés d'une même pomme l'une après l'autre, la queue vers le haut. Si les pommes de pin sont de taille légèrement différente, placez les plus grosses en haut et diminuez graduellement pour que la plus petite soit au bas du feston.

12 Construisez les boules d'ornement en pommes de pin. Percez le bas des deux grandes pommes de pin restantes. Les trous doivent être suffisamment grands pour accueillir la moitié d'un clou galvanisé. Insérez le clou et coupez la moitié en trop à la scie à métaux.

13 Les boules se placent aux deux extrémités avant du conteneur. Percez un trou pour chaque boule et insérez-les. Renforcez le tout en collant les boules avec de la colle PVA.

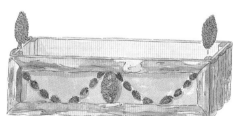

14 Posez un lit d'argile puis remplissez le bac à moitié de tourbe. Installez les plantes dépotées suivant le schéma de plantation, les fougères mâles au fond. Remplissez le bac de tourbe jusqu'à 25 mm du bord, aplanissez et comblez les espaces vides avec de la sphaigne avant d'arroser.

15 Choisissez bien l'endroit où poser la jardinière : la fougère demande de l'ombre et un arrosage régulier, la mousse aidant à retenir l'humidité. Vous pouvez mettre des impatiens (*Impatiens*) à la place des nierembergias.

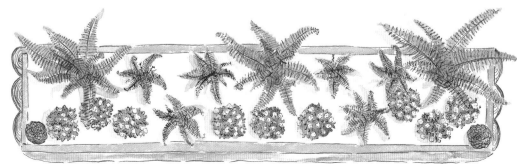

Buse fleurie

Dans un espace, où la terre manque, on peut utiliser une large buse
de béton pour mettre de la terre et installer des arbustes ou des plantes buissonnantes.
Sur le projet présenté ici, la niche donne de la hauteur à la composition et encadre
la cascade de fleurs du fuchsia.

MATÉRIEL & ÉQUIPEMENT

1 buse en béton de 500 mm de hauteur et 900 mm de diamètre

Peinture mate vert foncé

Tessons d'argile

50 l de compost John Innes n° 3

Engrais retard

1 *Fuchsia* x *speciosa* 'La Bianca'

10 alchémilles (*Alchemilla mollis*)

6 pélargoniums (*Pelargonium* 'Friesdorf')

1 Choisissez une buse adaptée aux dimensions de la plante. Celles données en page 60 conviennent à un arbuste de moyenne taille. Dissimulez la partie rugueuse de la buse sous une couche de peinture. Le vert foncé est la couleur qui s'harmonise le mieux avec un jardin.

2 Placez la buse peinte dans votre jardin, au choix sur une surface tendre ou dure. Couvrez le sol à l'intérieur avec des tessons d'argile sur une épaisseur de 30-50 mm, afin de faciliter le drainage.

3 Si le fuchsia est dans un pot, dépotez-le et démêlez les racines. Recouvrez l'argile de compost. Toutes les plantes doivent être installées à la même profondeur, par rapport à la surface, que lorsqu'elles étaient dans leur pot (voir l'illustration de l'étape 7). Mettez de l'engrais au fur et à mesure de la plantation.

4 Ajoutez du compost jusqu'à environ 40 mm du haut de la buse.

5 Posez le fuchsia au centre. Ici aussi, le dessus de sa motte doit être à environ 40 mm du bord de la buse.

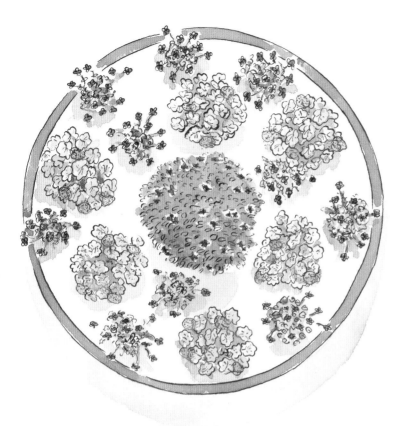

6 Plantez les alchémilles et les pélargoniums autour de l'arbuste, en suivant le pourtour de la buse comme sur l'illustration.

7 Tassez bien la terre autour des plantes et arrosez. Veillez à ce que le conteneur ne manque jamais d'eau, surtout pendant les étés chauds.

Autres sujets de plantation
Utilisez deux buses de diamètres différents pour obtenir cet effet d'escalier inspiré des jardins médiévaux. Plantez votre arbuste dans la buse centrale, et couvrez l'étage du dessous avec une composition de plantes de saison.
Cette composition présente un mûrier blanc au port retombant (*Morus alba* 'Pendula') sur un lit de camomille (*Anthemis nobile* 'Treneague').

Bassine peinte

Une bassine en émail ou en étain peut être transformée en un conteneur élégant
ou même en jardinière de style XIXᵉ siècle en y ajoutant des pieds ronds.
Ce conteneur est parfait pour les massifs de plantes saisonnières et fonctionne
aussi bien sur le sol que sur un socle ou un muret.

MATÉRIEL & ÉQUIPEMENT

Bassine ovale en étain de 600 mm de long et de 450 mm de large

1 planche de contreplaqué d'extérieur de 450 x 350 x 20 mm

4 boules de bois de 65 mm de diamètre et 4 chevilles de 7 mm de diamètre et de 50 mm de long

Colle PVA imperméable

1 petite bouteille de vernis copal

1 paquet ou 12 feuilles de 50 x 50 mm d'or ou de laiton

0,5 l de produit traitant pour bois clair et une peinture d'apprêt rouge foncé

1 l de peinture mate

30 l de compost John Innes n° 2

Sac de sphaigne

36 plants de tabac d'ornement rouge et saumon (*Nicotiana*)

1   Commencez par faire une base en contreplaqué pour y poser la bassine et y fixer les pieds. Tracez le contour du fond de la bassine sur le contreplaqué.

2   Tracez un deuxième ovale à environ 5 mm à l'intérieur du premier. Découpez la partie intérieure de l'ovale avec une scie sauteuse.

3   Percez un trou de 7 mm de diamètre et d'une longueur d'une demi-boule de bois. Veillez à ce qu'il soit droit et bien au centre.

4   Déposez un peu de colle à l'intérieur du trou et insérez une cheville. La cheville doit dépasser d'environ 25 mm la surface de la boule.

5   Passez une couche de produit traitant sur les pieds. Quand c'est sec, appliquez deux couches de peinture rouge foncé pour simuler des reflets cuivrés, cela donnera à l'œuvre terminée un effet de chaleur. Poncez chaque couche au papier de verre.

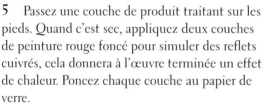

6   Lorsque la peinture d'apprêt est complètement sèche, passez une couche de vernis copal. Le vernis doit être pratiquement sec au toucher avant la pose des feuilles d'or. Déposez les feuilles sur la surface collante du vernis. Tamponnez légèrement avant de retirer lentement la feuille de protection, laissant une couche dorée.

7   Continuez d'appliquer les feuilles d'or, les unes sur les autres, jusqu'à ce la surface de chaque boule soit recouverte. Grattez l'excédent d'or sans craindre une surface inégale – cela ajoute à l'effet antique.

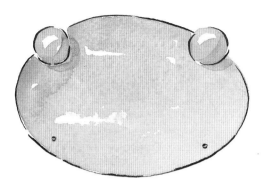

8   Percez le contreplaqué de quatre trous de 7 mm de diamètre dont deux à chaque extrémité de l'ovale. Collez les chevilles dans les trous et poussez-les jusqu'à ce que les boules touchent le contreplaqué.

9   Plaquez la base en bois contre le fond de la bassine. Percez quelques petits trous dans le contreplaqué et le fond de la cuve pour assurer un bon drainage.

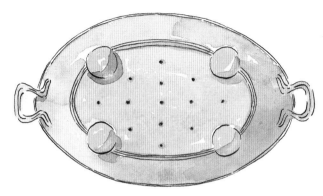

10   Si votre cuve est d'une couleur qui vous convient, laissez-la telle quelle. Cependant, l'émail et l'étain peuvent tous deux être peints de façon à être en harmonie avec la composition de plantes. Une teinte dorée fonctionne mieux avec des couleurs foncées ; ici, une peinture mate bleu marine a été utilisée.

11   Remplissez la cuve de compost, jusqu'à 130 mm du dessus. La surface de la terre doit être légèrement en dôme. Dépotez les plants de tabac et déposez-les dans la cuve. Pour obtenir un monticule dense et coloré de fleurs, mélangez les rouges et les roses en plaçant les mottes proches les unes des autres. Comblez les vides avec du compost, aplanissez et arrosez régulièrement. Placez la sphaigne autour des plantes pour assurer humidité et élégance.

Autres sujets de plantation
Installez la cuve à l'intérieur, dans une cuisine ou une véranda, ou bien surélevée sur un socle et plantée d'un lierre (*Hedera helix*).

Terre cuite patinée

La plupart des pots en terre cuite d'aujourd'hui, surtout ceux fait en usine, ont une apparence moderne et brute qui peut desservir la beauté d'une composition de plantes. Ils peuvent aussi paraître déplacés au milieu de vieux conteneurs que l'âge a adoucis. Pour répondre à ce problème, éclaircissez la teinte des nouveaux pots avec une peinture spéciale afin d'imiter la terre cuite patinée.

MATÉRIEL & ÉQUIPEMENT

1 bac en terre cuite neuf de 600 x 230 x 230 mm

2 pots en terre cuite naturellement patinée de 250 mm de diamètre

1 petit pot de badigeon de chaux, ou de patine à l'huile

1 petit pinceau

Tessons d'argile

20 l de terreau

3 pots de houlque molle (*Holcus mollis* 'Albovariegatus') d'un diamètre de 150 mm

2 buis (*Buxus sempervirens*)

1   Préparez la patine en mélangeant une cuillerée à café de badigeon à 300 ml d'eau froide.

2   Passez une couche de patine sur l'extérieur du bac, au petit pinceau. Suivez bien sur les courbes et les reliefs.

3   Une fois le badigeon sec, grattez-le avec une brosse et de l'eau froide. Le but est de laisser une couche blanche sur les reliefs, mais d'enlever presque toute la peinture des surfaces planes, exception faite des défauts. N'hésitez pas à enlever toute la peinture – le restant coule dans les pores de la terre cuite et offre une subtile variation de couleur. Si nécessaire, appliquez une seconde couche de badigeon sur le relief et grattez une nouvelle fois.

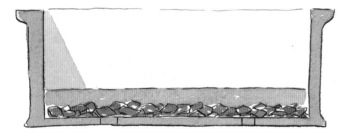

4   Couvrez le fond du bac avec des tessons d'argile sur une épaisseur de 20 mm pour le drainage. Recouvrez cette couche de terreau de façon que le sommet des mottes soit à 25 mm du haut du conteneur.

5   Dépotez les herbes et posez-les sur le fond puis remplissez le bac de terreau et aplanissez légèrement. Gardez le terreau humide et veillez à ce qu'il ne se dessèche pas. Après environ huit semaines, vous mettrez un engrais liquide et continuerez à en mettre une fois par mois pendant le printemps, l'été et l'automne.

6   Mettez les buis dans les deux pots naturellement patinés, garnis au préalable d'argile et du reste de terreau.

7   Posez ces pots de chaque côté de la jardinière. L'aspect vieilli de la terre cuite vient après des années passées dehors, mais la patine artificielle du bac fonctionne bien entre les deux.

Autres effets

Pour obtenir un effet de plus grande ancienneté, créez un aspect de bronze antique. Bien que plus compliqué que la patine, cet aspect reste relativement facile à obtenir.

1   Préparez un premier vernis en diluant une peinture mate bleu-vert avec de l'eau. Appliquez sur l'extérieur du bac avec un chiffon.

2   Faites deux autres vernis de la même manière avec une peinture verte et une bleu clair, puis appliquez par touches désordonnées avec un petit pinceau. Plongez une brosse dans de l'eau puis passez-la sur les bords du bac, en laissant l'eau couler le long des parois. Laissez sécher. Mélangez les vernis avec une éponge en métal.

3   Enfin, faites un dernier vernis avec de la peinture blanche et appliquez une fine couche sur la surface du bac, puis tamponnez avec un chiffon alors qu'elle est encore fraîche. Laissez de petits dépôts sur les reliefs pour fondre le bleu et le vert.

Pots peints

Peindre la terre cuite est une bonne manière d'introduire des couleurs vivantes. La peinture cache aussi le rouge vif de nombreux pots en terre cuite industrielle. Pour cet exemple, nous avons utilisé du vert et du jaune, mais libre à vous de faire votre propre combinaison selon l'architecture de votre jardin. Pour un effet plus intense, peignez des motifs simples et géométriques et choisissez des plantes aux couleurs assorties à la peinture.

MATÉRIEL & ÉQUIPEMENT

6 pots en terre cuite industrielle : 2 de 230 mm de diamètre, 2 de 170 mm et 2 de 150 mm

1 l de peinture mate jaune et 1 l de vert

Bande adhésive de 25 mm de large

Pinceaux plats et ronds

Tessons d'argile

30 l de terreau

10 lis (*Lilium* 'Reinesse')

10 pâquerettes (*Osteospermum* 'Buttermilk')

6 pétunias citron et crème

1   Commencez par peindre un pot de chaque taille en vert
et en peignant aussi l'intérieur sur 40 mm. Faites de même
pour les autres pots mais en jaune. Il se peut que la terre cuite
nécessite deux couches de jaune. Laissez sécher avant d'appliquer
les motifs.

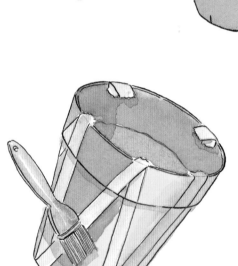

2   Gardez les plus grands pots pour le motif en zigzag.
Divisez la base du pot en cinq sections égales et divisez
le haut en cinq également, en plaçant les marques du
haut entre celles du bas.

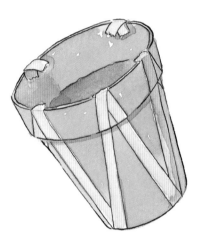

3   Joignez les marques du bas et du haut
avec de la bande adhésive de façon à
former un motif en zigzag.

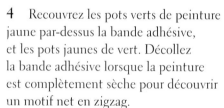

4   Recouvrez les pots verts de peinture
jaune par-dessus la bande adhésive,
et les pots jaunes de vert. Décollez
la bande adhésive lorsque la peinture
est complètement sèche pour découvrir
un motif net en zigzag.

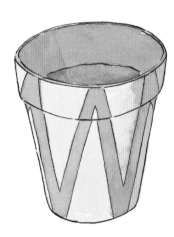

5   Prenez un pot jaune et un vert et peignez des
ronds de 25 mm de diamètre de la couleur opposée
avec un pinceau rond. Dessinez les motifs à main
levée, ou bien utilisez un pochoir en découpant
un cercle sur un carton carré de
100 mm et peignez par-dessus.
Peignez la bande supérieure du pot de
la même couleur que les motifs.

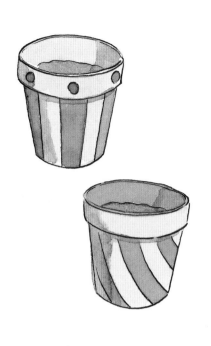

6   Il reste deux pots vierges sur lesquels vous pouvez appliquer le motif de votre choix, en vous rappelant que les motifs simples fonctionnent le mieux. Voici quelques autres exemples.

7   Mettez les lis dans les pots les plus larges. Les lis 'Reinesse' ont une longue racine, il faut donc garnir le pot d'argile et planter le lis à 150-200 mm de profondeur pour lui permettre de se développer. Si vous choisissez des lis à racines en touffe, tel que *Lilium candidum*, plantez-les à 100-150 mm de profondeur. Plantez des bulbes de l'automne au printemps, ou des lis élevés en pot à n'importe quel moment de l'année. Remplissez de terreau, arrosez et protégez du gel.

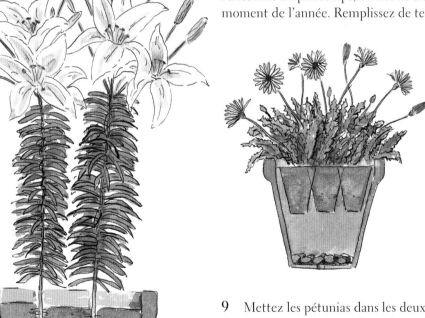

8   Garnissez deux autres pots d'argile et remplissez-les à moitié de terreau. Posez cinq pâquerettes par pot et comblez de terreau. Gardez ces plantes à l'intérieur pendant l'automne et l'hiver pour les protéger du gel.

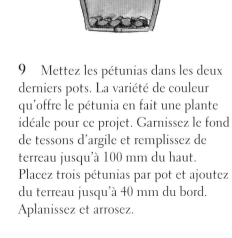

9   Mettez les pétunias dans les deux derniers pots. La variété de couleur qu'offre le pétunia en fait une plante idéale pour ce projet. Garnissez le fond de tessons d'argile et remplissez de terreau jusqu'à 100 mm du haut. Placez trois pétunias par pot et ajoutez du terreau jusqu'à 40 mm du bord. Aplanissez et arrosez.

Projets de brique
et de pierre

Bordure en brique

Cette bordure peut être adossée contre un mur, de préférence orienté plein sud.
Elle est faite d'aromatiques et d'une sélection d'herbes parfumées. La bordure en brique
est une façon simple et esthétique de séparer un massif de plantes d'une allée de gravier.
Cette technique était très populaire au XIXe siècle.

MATÉRIEL & ÉQUIPEMENT

4 piquets de bois

5,7 m de cordeau

Fumier

1 petit sac de ciment

1 sac de sable fin

28 briques pleines

Ballast de brique

Gravier

Ciment de type clinker prêt à l'emploi

Pots d'herbes aromatiques

Équerre en métal • Dame en métal • Maillet

1 Choisissez un endroit ensoleillé et bien drainé, de préférence contre un mur orienté au sud. Délimitez une bordure de 2 000 x 850 mm avec les piquets et le cordeau. Vérifiez que les coins sont bien à angle droit avec l'équerre. Enlevez toutes les mauvaises herbes et retournez la terre (voir page 250).

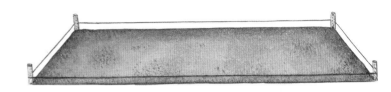

2 Les briques doivent être posées dans la même direction et suivant un angle de 45°, sur les trois côtés de la bordure. Creusez une tranchée autour de la bordure d'environ 150 mm de profondeur et 130 mm de large. Tassez la terre dans la tranchée – une dame en métal est ici recommandée.

3 Mélangez cinq doses de sable fin pour une dose de ciment. Faites un puits au centre et ajoutez de l'eau pour former une pâte dure et cohésive. Couvrez la base de la tranchée sur une épaisseur d'environ 65 mm et posez les briques sur le ciment. Les briques ne doivent pas être scellées par du mortier.

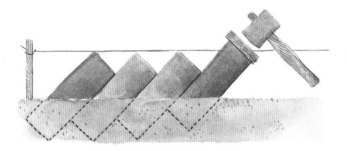

4 Pour niveler le bord, tendez un cordeau à 130 mm au-dessus du sol, tout autour de la bordure de brique, et enfoncez les briques au bon niveau avec le maillet, en intercalant une pièce de bois pour protéger les briques.

5 La bordure est entourée de gravier. Une fois que les briques sont bien posées, étalez le gravier sur une couche de brique recouverte de clinker, comme sur l'illustration.

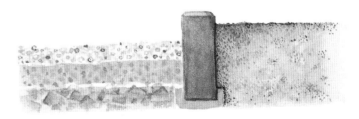

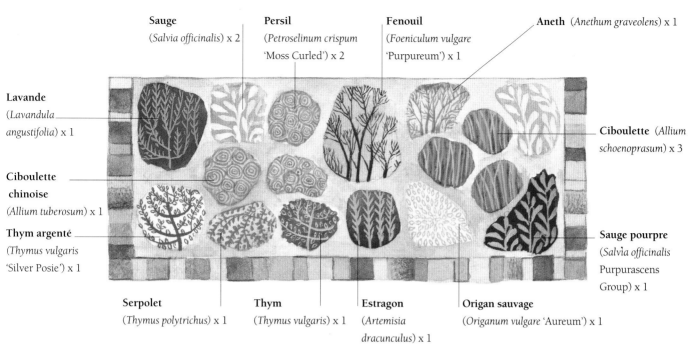

Lavande
(*Lavandula angustifolia*) x 1

Sauge
(*Salvia officinalis*) x 2

Persil
(*Petroselinum crispum* 'Moss Curled') x 2

Fenouil
(*Foeniculum vulgare* 'Purpureum') x 1

Aneth (*Anethum graveolens*) x 1

Ciboulette (*Allium schoenoprasum*) x 3

Ciboulette chinoise
(*Allium tuberosum*) x 1

Thym argenté
(*Thymus vulgaris* 'Silver Posie') x 1

Sauge pourpre
(*Salvia officinalis* Purpurascens Group) x 1

Serpolet
(*Thymus polytrichus*) x 1

Thym
(*Thymus vulgaris*) x 1

Estragon
(*Artemisia dracunculus*) x 1

Origan sauvage
(*Origanum vulgare* 'Aureum') x 1

6   Achetez les herbes à planter en l'automne ou au printemps mais pas pendant les grands froids. Plantez en suivant le schéma ci-dessus.

Bac en brique

Une structure en brique, comme une urne ou un petit bac, crée un fort impact visuel.
Ce conteneur permet une composition de plantes avec ou sans fleurs,
mais doit cependant rester simple pour pouvoir être admiré de loin.
Il est conçu pour accueillir un mélange de plantes vivaces et saisonnières,
et constituera l'un des points forts du jardin tout au long de l'année.

MATÉRIEL & ÉQUIPEMENT

Les fondations : un petit sac de ciment, 50 kg d'agrégat grossier, 25 kg d'agrégat fin (sable)

Mortier : petit sac de ciment, 50 kg d'agrégat fin (sable fin)

105 briques pleines (des 'Old Cheshires' ont été utilisées pour cet exemple)

1 planche de contreplaqué de 450 x 450 x 10 mm

4 blocs de béton de 450 x 230 x 100 mm

30 l de compost John Innes n° 2

1 rosier (*Rosa Sanders* 'White Rambler')

4 Véroniques arbustives (*Hebe pinguifolia* 'Pagei')

18 plants de tabac d'ornement (*Nicotiana alata* 'Lime Green')

Cordeau et piquets

Niveau à bulle

1   Le bac doit être construit sur des fondations d'une profondeur de 130 mm. Creusez un trou carré de 825 mm de côté de cette profondeur. Si votre bac doit être posé sur du gravier, retirez celui-ci avant de creuser.

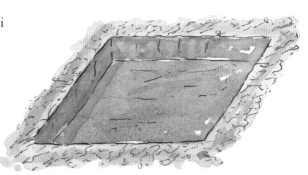

2   Environ deux brouettes de béton sont nécessaires aux fondations. Les proportions du mélange sont de six doses d'agrégat grossier pour trois d'agrégat fin et une de ciment. Mélanger ces éléments à sec sur une planche de contreplaqué. Formez un puits au centre et ajoutez de l'eau pour façonner une pâte dure et cohésive. Une fois prêt, mettez le béton dans une brouette.

3   Déposez le béton sur l'ensemble de la surface creusée. Nivelez avec une planche et assurez-vous qu'il n'y a aucune bulle d'air dans le béton. Utilisez un niveau à bulle pour vérifier l'horizontalité de la surface. Laissez sécher 24 heures, voire plusieurs jours, en le protégeant le béton d'un voile en polymère.

4   À l'aide d'un cordeau et de piquets de bois, délimitez un carré de 680 mm de côté à 65 mm au-dessus du béton, qui servira de guide pour la première rangée de briques.

5   Préparez le mortier comme le béton (voir étape 2), selon les proportions suivantes : quatre doses de sable fin pour une de ciment. Étalez une couche de 10 mm d'épaisseur sur la dalle.

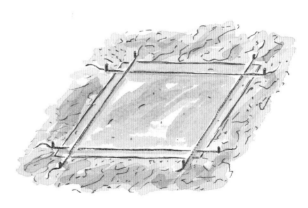

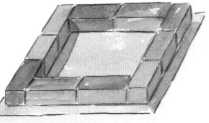

6   Placez les briques selon le plan. Posez la première rangée, avec l'estampe vers le haut, en les joignant bout à bout avec du mortier. Posez la seconde rangée, les briques à cheval sur les joints de la première. Récupérez le mortier dépassant des joints au fur et à mesure du calage des éléments et lissez les joints.

7   Faites ainsi neufs rangées de briques. Assurez-vous après chaque étage que l'alignement tant horizontal que vertical est bien droit avec un niveau à bulle.

8   Complétez le mur par un chaperon, en faisant ressortir les briques de 25 mm afin de créer une corniche. Prenez quatre briques de calage de 100 x 50 mm pour étendre le chaperon sur le bord du bac.

9   Renforcez les coins intérieurs du rebord avec du béton.

10   Pour éviter de devoir remplir tout le bac de terreau, faites un double-fond en contreplaqué. Percez des trous de drainage de 25 mm de diamètre. Puis placez les quatre blocs de béton à l'intérieur de la structure et posez le contreplaqué dessus.

11   Pour l'exemple présenté, les hébés et le rosier doivent être installés dans leur pot alors que le tabac d'ornement doit être dépoté et planté dans le terreau même.

12   Placez le rosier au centre, en dessous du sommet du bac, puis remplissez avec suffisamment de terreau pour que les hébés viennent contre le chaperon. Enfin, remplissez les vides de terreau et placez les tabacs d'ornement autour du rosier. Gardez le tout bien humide et donnez de l'engrais liquide une fois par semaine.

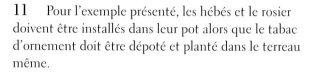

Autres sujets de plantation
En l'hiver, plantez un houx (*Ilex x meserveae* 'Blue Prince') et du lierre (*Hedera helix* 'Erecta'). En automne, un *Pittosporum tenuifolium* 'Purpureum' et des cyclamens (*Cyclamen cilicium*). Au printemps, un buis taillé en cône (*Buxus sempervirens*) et une rangée de jacinthes (*Hyacinthus orientalis* 'Delft Blue').

Massifs potagers surélevés

La surélévation des planches du potager est une très vieille tradition qui semble revenir à la mode. L'avantage par rapport à la planche conventionnelle réside dans le supplément de terre permettant aux racines de puiser plus profondément l'humidité et les éléments nutritifs. Ces planches ont été conçues pour qu'on puisse y accéder de tous les côtés sans avoir à piétiner la terre – un énorme avantage.

MATÉRIEL & ÉQUIPEMENT

Cailloux

Béton

Briques

Terreau de bonne qualité

Cordeau et piquets en bois ou en métal

Dame

Compost végétal

Graines et plants variés

Truelle • Niveau à bulle

Attention : la construction des massifs surélevés est un projet un peu plus complexe que les autres. À moins que vous n'ayez déjà travaillé avec de la brique et de la pierre, il est conseillé de consulter un professionnel et d'utiliser le projet comme un exemple.

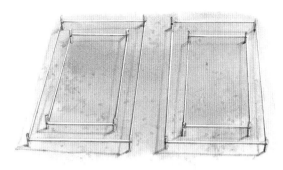

1   Réfléchissez bien à la construction des massifs. Ils doivent avoir une largeur permettant que l'on puisse atteindre le centre de n'importe quel côté, et être suffisamment espacés pour que l'on puisse circuler entre les deux. Ils doivent être abrités mais bien exposés.

2   Creusez deux tranchées de façon à délimiter deux rectangles de 150 mm plus large et plus long que les massifs. Les tranchées doivent faire 250 mm de large sur 400 mm de profondeur. Posez une épaisseur de 130 mm de cailloux au fond des tranchées puis coulez le béton par-dessus sur une épaisseur de 100 mm.

3   Les murs des massifs sont en brique. Ils sont faciles à construire et esthétiques, mais ils peuvent aussi bien être faits en blocs de béton, qui ont l'avantage d'être plus rapides à poser. Montez les rangées de briques. Il doit y avoir deux rangées sous terre (voir étape 4) et quatre au-dessus de la surface, à environ 300 mm.

4   Une fois le sol du potager retourné, l'eau devrait facilement s'écouler. Mais pour qu'elle ne soit pas piégée entre les murs, laissez un espace entre les briques de la première rangée tous les 450 mm.

5   Lorsque le ciment est sec, préparez le potager. Enlevez toutes les mauvaises herbes avec leurs racines. Retournez le sol sur une profondeur d'au moins une pelle, et de préférence deux fois de suite sur une profondeur de deux pelles. Attention à ne pas ramener de substrat du sous-sol à la surface. Ajoutez une bonne dose de compost végétal.

6 Une fois que le potager a été nettoyé et retourné, ajoutez un mélange de terreau de bonne qualité et de compost végétal. Remplissez le potager à ras bord et de préférence en automne pour laisser la terre se reposer en hiver afin de s'acclimater, puis remettez une couche de terre et de compost le printemps venu.

7 Pour un accès facile, l'allée entre les deux massifs doit rester vide. Pour éviter qu'elle ne se transforme en une masse de mauvaises herbes ou de boue, elle peut être dallée.

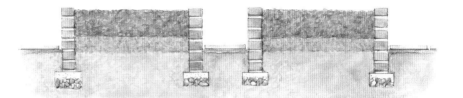

8 Plantez les légumes en carrés ou en planches. Si vous ne pouvez pas atteindre le centre du massif, posez une planche de bois entre les rangées afin de circuler dessus. Laissez-les en place, elles aideront à maintenir l'humidité et à bloquer les mauvaises herbes.

Schéma de plantation

1 Semis	**6** Carottes	**11** Fraises des Alpes	**16** Céleris
2 Poireaux	**7** Navets	**12** Laitues	**17** Choux
3 Mange-touts	**8** Betteraves	**13** Tomates	
4 Persil	**9** Panais	**14** Courgettes	
5 Laitues	**10** Rutabagas	**15** Haricots nains	

Plates-bandes surélevées

Une cour pavée n'offre guère d'autre choix que celui d'élever des plantes en pot.
Cependant, si l'on veut faire une composition plus imposante, les plates-bandes surélevées
sont idéales car elles offrent une profondeur de terre suffisante pour permettre à nombre
de plantes, vivaces ou annuelles, de survivre. Elles tracent aussi une allée nette
et la hauteur peut être utilisée pour des plantes grimpantes ou tapissantes.

MATÉRIEL & ÉQUIPEMENT

Cailloux • béton • pierres ou galets

Dalles de gazon ou bâches de polyéthylène spéciales horticulture

Briques, pierres, blocs de béton, bois ou traverses de chemin de fer
(pas de fondations à faire pour le bois)

1 *Corylus maxima* 'Purpurea'

4 *Phormium tenax* 'Purpureum'

8 *Heuchera micrantha* var. *diversifolia* 'Palace Purple'

*Attention : ce projet est un peu plus complexe que les autres. À moins que vous n'ayez déjà travaillé
avec de la brique et de la pierre, il est conseillé de consulter un professionnel
et d'utiliser le projet comme un exemple.*

1   De par sa forte identité architecturale, une cour pavée se prête à un mélange symétrique de plantes aux feuillages clairs. Pour le jardin surélevé, il faut donc utiliser des plantes suffisamment imposantes pour attirer le regard du promeneur : un feuillage fourni et attrayant est un atout de taille. Ce grand carré de jardin mesure 3,6 x 2,5 m.

2   Choisissez un matériau pour faire votre carré de jardin : la brique, la pierre, le béton ou le bois sont autant de possibilités. Le bois est sans doute le plus facile à manipuler, surtout si vous trouvez de vieilles traverses de chemin de fer, car elles peuvent faire des murets très solides. Ce type de bois dure plus longtemps que n'importe quel autre car il contient du goudron, mais c'est aussi son inconvénient car il peut suinter sous l'effet d'une grande chaleur.

3   La brique, la pierre et le béton s'utilisent de la même manière. Si la base sur laquelle le lit de briques va être construit n'est pas solide, il faut faire des fondations d'environ 250 mm de profondeur. Posez une épaisseur de 100 mm de cailloux puis coulez le béton par-dessus sur une épaisseur de 150 mm. Montez le mur par-dessus.

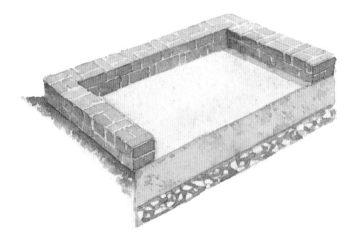

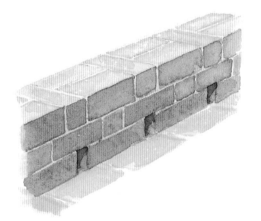

4   Un espace pour le drainage doit être laissé entre les briques du bas pour permettre à l'excédent d'eau de s'échapper. En général, quelques espaces par mur sont suffisants.

5   Un carrelage peut être posé le long des murs en brique. Ce détail n'est pas essentiel, mais il est d'une part esthétique et permet d'autre part de protéger le mur de l'eau, de façon que sa surface ne souffre pas d'un mouillage répété.

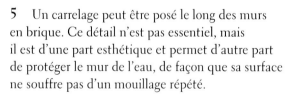

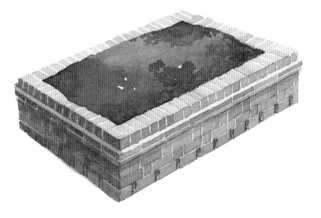

6   Pour aider à l'évacuation de l'eau, ajoutez des cailloux sur une épaisseur de 70 mm ou plus, puis des dalles de gazon à l'envers (comme montré ci-dessus) ou bien des bâches de polyéthylène préalablement trouées. Remplissez avec un mélange de terreau de bonne qualité, de compost végétal et d'un peu de gravier pour aider à l'évacuation (à gauche). Aplanissez au fur et à mesure et ajoutez de la terre car elle aura tendance à partir avec le temps.

7 Agencez la plate-bande en suivant l'illustration de droite ou bien faites votre propre composition. Une fois rempli de terre, le jardin surélevé peut être conçu comme n'importe quelle bordure au sol, avec le même choix de plantes. Le paysagiste peut choisir parmi une multitude de plantes, mais il est essentiel de construire ces structures correctement si l'on veut qu'elles fonctionnent.

Schéma de plantation

1 *Corylus maxima* 'Purpure' x 1
2 *Phormium tenax* 'Purpureum' x 4
3 *Heuchera micrantha* var. *diversifolia* 'Palace Purple' x 8

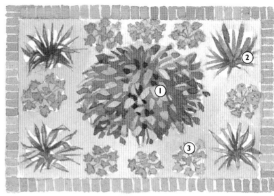

8 Gardez la terre bien à niveau et vérifiez l'efficacité du drainage.

Autres matériaux
Les traverses de chemin de fer sont directement posées sur la base, puis à cheval l'une sur l'autre, comme pour un mur en brique, pour une finition plus solide. Laissez des espaces de drainage. Manipulez les traverses avec précaution car elles sont très lourdes.

Les murs en pierres grises ou marron clair donnent un aspect très différent de la brique. Ils fonctionnent très bien dans les maisons de campagne ou les cottages, surtout si la construction est en pierre.

Allée bordée d'aromatiques

Une allée pavée ou en brique permet l'accès au jardin même par temps pluvieux. Une allée définit aussi un motif d'ensemble au même titre qu'une haie de conifères nains ou qu'une bordure de gazon. Les bordures d'aromatiques de ce projet peuvent convenir même au plus petit des jardins de ville. Quelques jours sont nécessaires pour que l'allée sèche et se fixe. Laissez les herbes déborder sur les côtés de l'allée.

MATÉRIEL & ÉQUIPEMENT

4 piquets de bois

7 m de cordeau

Compost mature

1 dalle en pierre

9 briques pleines

1 sac de sable

1 petit sac de ciment

5 pots ou seaux en plastique

1 pot en terre cuite de 300 mm de diamètre

Aromatiques en pot

Équerre • 1 bêche

Dame (facultatif) • Niveau à bulle

1   Retournez les plates-bandes en vue d'une plantation en automne ou au printemps, en choisissant un endroit ombragé. À l'aide du cordeau et des piquets, tracez un lopin de terre de 1,5 m x 1,8 m. Vérifiez les angles droits à l'équerre. Enlevez le gazon et retournez la terre (voir double bêchage, page 250)

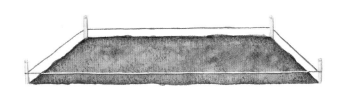

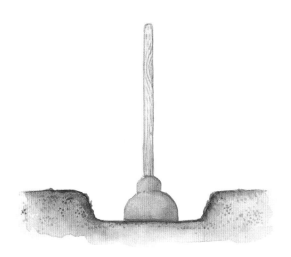

2   Les briques de ce projet sont des briques industrielles cuites à haute température (mais n'importe quel type de brique convient). Leur couleur pourpre se marie très bien avec le pourpre de la sauge présente dans la composition. Creusez une tranchée de 205 mm de large sur une profondeur de 150 mm pour poser les briques. Creusez un carré de 600 mm pour poser la dalle (voir la page ci-contre pour le placement de la dalle et des briques). Aplanissez le sol de la tranchée à l'aide d'une dame ou avec les pieds afin d'avoir une base solide pour poser le béton et les briques.

3   Préparez le mortier en mélangeant cinq doses de sable pour une dose de ciment. Étalez une couche de 90 mm de mortier dans la tranchée et posez les briques et la dalle sur cette couche. Vous n'avez pas besoin de jointoyer les briques avec du mortier. Tapez légèrement sur les briques pour qu'elles s'enfoncent bien et vérifiez le tout à l'aide du niveau à bulle.

4   Laissez au repos quelques jours avant de planter les plates-bandes, le temps que les éléments se fixent et sèchent.

5   Achetez des aromatiques déjà grandes dans des pots d'un diamètre de 100 mm. Les sarriettes et les lauriers peuvent être dans des pots de 150 mm. Plantez les herbes à l'automne ou au printemps selon le schéma de plantation. Laissez la menthe dans des seaux ou des pots, et enterrez-les, car la menthe est une plante très envahissante. Plantez la citronnelle dans un pot en argile de 300 mm de diamètre et installez-la au centre des plates-bandes en guise de point focal.

Menthe sauvage
(*Mentha* x *gracilis* 'Variegata') x 3

Fraisier sauvage
(*Fragaria vesca*) x 2

Citronnelle
(*Melissa officinalis* 'Aurea') x 1

Laurier
(*Laurus nobilis*) x 1

Origan sauvage
(*Origanum vulgare* 'Aureum') x 2

Menthe panachée
(*Mentha* x *gracilis* 'Variegata') x 2

Thym citron
(*Thymus* x *citriodorus*
'Bertram Anderson') x 4

Fraisier sauvage
(*Fragaria vesca*) x 2

Sarriette
(*Satureja hortensis*) x 1

Origan sauvage
(*Origanum vulgare* 'Aureum') x 2

Origan
(*Origanum vulgare*) x 2

Laurier
(*Laurus nobilis*) x 1

Sarriette
(*Satureja hortensis*) x 1

Sauge pourpre
(*Salvia officinalis*
Purpurascens Group) x 3

Thym citron
(*Thymus* x *citriodorus*
'Bertram Anderson') x 4

6 Taillez les herbes si besoin est, pour les empêcher de s'envahir l'une l'autre. Coupez les nouvelles pousses de laurier à chaque début d'été. Taillez la sauge avant qu'elle ne fleurisse pour lui faire prendre une forme compacte. Taillez le thym une fois fleuri pour encourager une croissance touffue.

Muret de soutènement

Les dénivelés d'un jardin peuvent être un problème. L'une des solutions à ce problème est de tirer parti des pentes en divisant le jardin en plusieurs niveaux grâce à des murets de soutènement. Ces derniers peuvent recevoir différentes compositions, du gazon aux compositions les plus ornementales. La surface du muret peut aussi devenir un élément décoratif : elle s'effrite avec le temps et laisse le loisir aux plantes grimpantes de pousser dans les coins et les fissures.

MATÉRIEL & ÉQUIPEMENT

Pour 2,5 m de mur

0,2 m³ de béton

1/2 sac de ciment

2 sacs de sable fin

0,2 m³ de blocs de pierre de tailles variées (approximativement 20)

2 conduites de drainage en terre cuite

Pour la plate-bande

0,1 m³ de graviers ou de cailloux

0,1 m³ d'humus ou de 2 sacs de compost végétal mature

1 truelle • 1 brouette

Attention : ce projet est un peu plus complexe que les autres. À moins que vous n'ayez déjà travaillé avec de la brique et de la pierre, il est conseillé de consulter un professionnel et d'utiliser le projet comme un exemple.

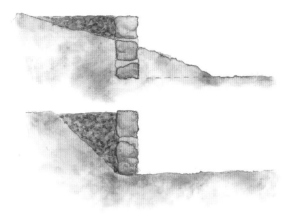

1   Il y a plusieurs manières d'implanter un muret sur un dénivelé. La position du muret dépendra de la manière dont vous désirez redéfinir l'espace, soit en minimisant la différence de niveau (au-dessus à gauche), ou en créant une marche (en dessous à gauche). Le muret peut aussi bien être en brique, en pierre ou en béton. Un muret de plus de 450 mm de haut devrait être construit par un professionnel.

2   Le muret une fois terminé fera 300 mm de hauteur. Comme tous les murs en brique ou en pierre, il doit avoir des fondations. Si le mur est supposé supporter un talus déjà existant, il faut en enlever une partie pour travailler plus confortablement. Creusez une tranchée de 200 mm de profondeur tout le long de votre futur mur et trois fois plus large que ce dernier. Posez une couche de 150 mm de béton.

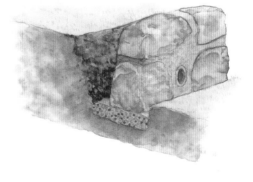

3   Commencez à monter le mur. Fixez une petite conduite un peu au-dessus du sol et contre l'alignement du mur. Cela permet à l'eau de s'échapper et évite à la plate-bande un trop-plein d'eau. Posez-en une tous les mètres. Espacez aussi les pierres pour faciliter le drainage.

4   Montez le mur par-dessus le drain jusqu'à la hauteur voulue. Si vous désirez avoir des plantes grimpantes à l'intérieur du mur, laissez quelques petites ouvertures dans le ciment pour la plantation.

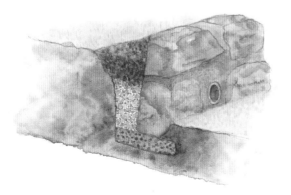

5   Afin de faciliter l'évacuation, posez une couche de graviers ou de cailloux entre la plate-bande et le mur. Comblez avec de l'humus riche en matière végétale. Si vous utilisez la terre creusée du talus, évitez de remonter le sous-sol à la surface.

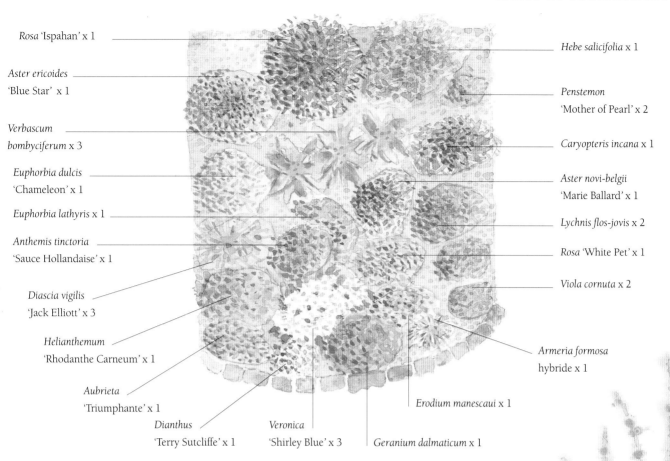

Rosa 'Ispahan' x 1

Aster ericoides
'Blue Star' x 1

Verbascum
bombyciferum x 3

Euphorbia dulcis
'Chameleon' x 1

Euphorbia lathyris x 1

Anthemis tinctoria
'Sauce Hollandaise' x 1

Diascia vigilis
'Jack Elliott' x 3

Helianthemum
'Rhodanthe Carneum' x 1

Aubrieta
'Triumphante' x 1

Dianthus
'Terry Sutcliffe' x 1

Veronica
'Shirley Blue' x 3

Geranium dalmaticum x 1

Erodium manescaui x 1

Armeria formosa
hybride x 1

Viola cornuta x 2

Rosa 'White Pet' x 1

Lychnis flos-jovis x 2

Aster novi-belgii
'Marie Ballard' x 1

Caryopteris incana x 1

Penstemon
'Mother of Pearl' x 2

Hebe salicifolia x 1

6 Vérifiez régulièrement que les drains
ne sont pas bouchés. Taillez régulièrement
les plantes grimpantes pour favoriser une
croissance touffue.

Cascade murale

Les murs peuvent apporter une contribution positive à la composition d'un jardin, surtout s'il est de petite taille et que chaque centimètre doit être utilisé de la manière la plus efficace possible. On peut décorer les murs de plantes, de plaques, de conteneurs ou d'éléments hydrauliques dont la taille peut aller de la simple fontaine à la cascade et au bassin. Les « marches » en ardoise de la photo ci-contre ont été percées de petits trous d'évacuation, mais un simple creux comme celui de ce projet est tout aussi efficace. Revérifiez toutes vos mesures au préalable.

MATÉRIEL & ÉQUIPEMENT

fondations

Cailloux (multipliez la taille du bassin par 150 mm pour connaître le volume de cailloux nécessaire)

2 sacs de béton de 25 kg

1 armature en acier de 1 800 x 600 mm

10 sacs d'agrégat de 25 kg

murs

5 dalles en ardoise ou en béton aggloméré légèrement creusées de 690 x 400 x 60 mm

Suffisamment de briques pour construire le tour du bassin et le mur aux dimensions requises

5 sacs de ciment de 25 kg

20 sacs de sable fin de 25 kg

16 dalles couvrantes de 250 x 300 mm

bassin

1 bâche élastomère Pond Liner de 1,5 x 2,7 m

2 feuilles de Garden Fleece de 1,5 x 2,7 m

1 petite pompe à eau avec ses attaches

2,2 m de conduite en polyéthylène

Truelle • maillet • niveau à bulle

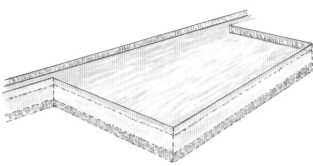

1 Commencez par poser les fondations. Creusez l'espace prévu pour le mur et le bassin sur une profondeur de 530 mm. Posez une couche de 150 mm d'épaisseur de cailloux, et aplanissez. Couvrez d'une couche de béton de 300 mm d'épaisseur, posez une armature en acier au milieu de la couche.

2 Tous les murs font deux briques de large. Encastrez la conduite dans le mur arrière, en supprimant les coins internes des briques, tout le long de la conduite. La conduite part à 100 mm au-dessus de la surface bétonnée et court jusqu'au point où l'eau sort pour atterrir sur la première dalle en ardoise. Lorsque le bassin est à la hauteur requise, tapissez-le de Garden Fleece puis scellez avec le Pond Liner.

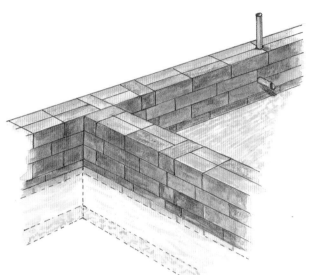

3 Couvrez les contours du bassin avec la bâche élastomère, en laissant dépasser de 80 mm sur les murs du bassin. Fixez la bâche sur le mur arrière avec les dalles couvrantes.

4 Continuez de monter le mur du fond et ajoutez les dalles en ardoise à différents intervalles. Elles doivent être légèrement creusées, soit par un équarrisseur s'il s'agit d'ardoise, soit directement par le moule pour le cas du béton. Surélevez un côté de la dalle d'environ 5 mm, de façon que l'eau s'écoule de l'autre côté.

5 La dalle supérieure doit être juste en dessous de la sortie de la conduite pour que l'eau tombe directement dessus. Couvrez le bord du bassin de dalles. Outre l'atout esthétique, ces dalles forment aussi une banquette pour poser les pots ou s'asseoir, mais surtout elles permettent de maintenir la bâche élastomère en place.

6 Installez une pompe à eau en suivant bien la notice. Reliez la pompe à l'embouchure inférieure de la conduite, et faites courir le câble imperméable le long du bassin. Vous le cacherez avec des plantes.

Attention : si vous n'avez aucune expérience en maçonnerie ou si vous avez un quelconque doute sur l'installation de la pompe, faites appel à un maçon professionnel pour le mur et à un électricien pour la pompe.

7 Vérifiez régulièrement que la pompe fonctionne, que la conduite n'est pas bouchée et que la bâche est en bon état.

Structures en métal et en bois

Paravent de treillage

Le treillage libre est sans doute le meilleur ami du jardinier. Il efface instantanément
le monde extérieur et s'avère idéal pour créer des « pièces » à l'intérieur du jardin.
Les treillages sont parfaits pour guider toutes les variétés de plantes grimpantes, et créer ainsi un
écran de feuillage et de couleurs. Cette structure flexible peut aussi être incorporée à des arches,
des pergolas ou des tonnelles tout en laissant passer la lumière et l'air.

MATÉRIEL & ÉQUIPEMENT

Panneaux de treillis

Piquet de 100 x 100 mm et de 300 mm plus grand que les panneaux de treillis

1 boule décorative par piquet

1/2 seau de cailloux par trou

3 seaux de béton (mélange sec)

Clous galvanisés de 100 mm

Clématite, rosier, chèvrefeuille ou une autre plante grimpante

Fil de fer plastifié

Niveau à bulle

1 Les treillages libres doivent être fermement cimentés. Placez un tiers de la longueur des piquets dans le sol. Pour un treillage d'une hauteur de 1,2 m, il faut faire des trous de 600 mm de profondeur, plus 150 mm pour une couche de cailloux. Creusez un trou adéquat pour le premier piquet et étalez la couche de cailloux. Plantez le piquet dans le trou, bien droit et remplissez autour de béton. Recouvrez de terre.

2 Une fois le piquet principal solidement en place, clouez le premier panneau de treillis au piquet avec de longs clous galvanisés. Retenez l'autre côté du panneau en clouant. Posez le piquet suivant dans l'alignement du treillage et creusez son trou de fondation.

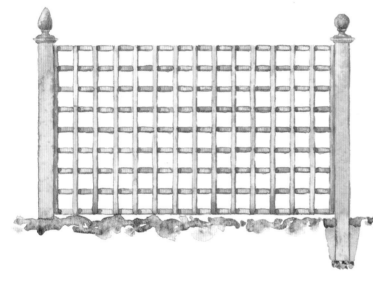

3 Ajoutez la couche de cailloux et fixez le second piquet avec du béton. Assurez-vous que les deux piquets sont bien alignés et bien droits, puis clouez le panneau au second piquet.

4 Répétez la procédure pour tous vos panneaux. Une fois que le treillage est prêt, installez les plantes sur l'avant.

Autres ornements et finitions

On trouve différentes formes d'ornements, cela va de la sphère à la pyramide en passant par la flèche. Ils peuvent avoir un effet remarquable sur l'ensemble de la structure et sont simples à mettre en place. Les treillis peuvent être laissés dans leur couleur d'origine, peints en blanc ou avec des teintes subtiles telles que le bleu-vert.

5 Pour une composition de clématites, consultez la page 258 pour l'élagage et la croissance. Les variétés utilisées ici – *Clematis* 'Perle d'Azur' et C. *texensis* – font toutes deux parties du groupe 3 et doivent donc être taillées juste au-dessus des bourgeons, et ce au début du printemps. Vérifiez la solidité de la structure et traitez-la avec un produit non toxique pour les plantes.

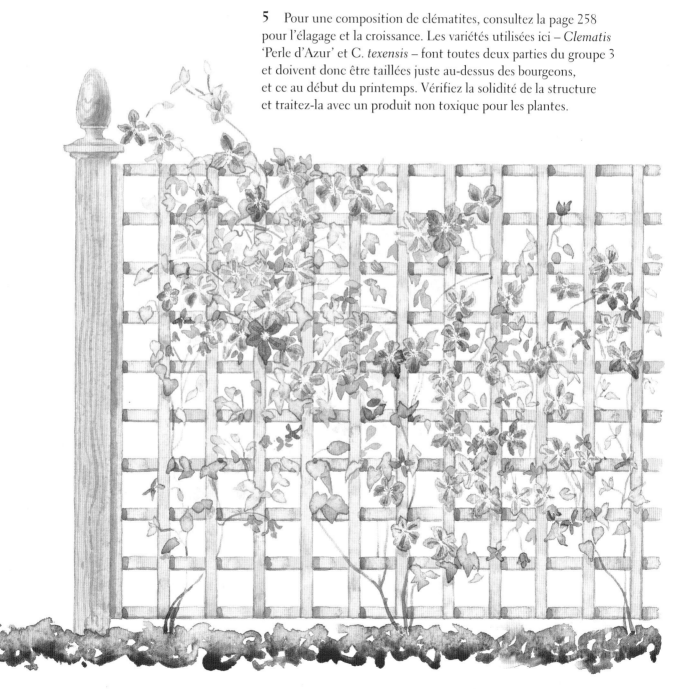

Treillage rustique

Le bois utilisé pour ce treillage n'a pas été raboté, il garde ainsi toute la beauté de ses formes irrégulières. La structure peut être entièrement recouverte de plantes, mais le treillage rustique est plus attrayant si la couverture est moindre. On peut certes trouver un treillage prêt à l'emploi mais celui-ci est facile à faire et ne réclame aucune compétence en menuiserie. De plus, cela vous laisse la liberté de concevoir les motifs selon vos besoins exacts.

MATÉRIEL & ÉQUIPEMENT

fondations

1/2 seau de cailloux par trou

3 seaux de béton par trou

Niveau à bulle

Pour 1,8 m de treillage

2 perches pour faire les piliers de 2,5 m de long et de 100-125 mm de diamètre
pour la première section puis 1 perche par section

2 perches de 2,5 m de long et de 80-100 mm de diamètre pour faire les barres transversales

3 perches de 900 mm de longueur et de 80-100 mm de diamètre pour l'entretoise

Clous galvanisés de 100 mm

Produit traitant pour bois

Plantes variées (voir page 115)

1   Montez les piliers (voir page 110) : commencez
par enlever l'écorce de la section qui doit être enterrée
et passez une couche de produit traitant. Une fois les
piliers bien fixés dans le sol, clouez les jonctions des barres
transversales (là où l'épaisseur a été enlevée de moitié)
sur le sommet des perches.

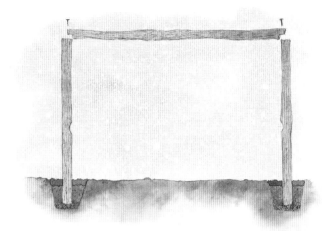

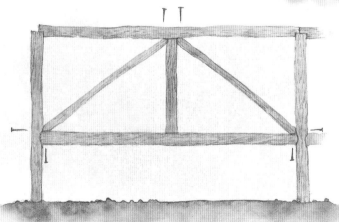

2   La jonction la plus importante est celle où une barre
transversale rencontre un pilier. Une simple niche peut être
ménagée au milieu de chaque pilier pour correspondre au
bout pointu de chaque barre transversale. Ne creusez pas
trop les piliers pour ne pas les affaiblir. Clouez la barre en
bois.

3   L'esthétique des jonctions n'a que peu d'importance.
Logez simplement une pièce de bois entre les barres et
clouez lorsqu'elle est bien en place.

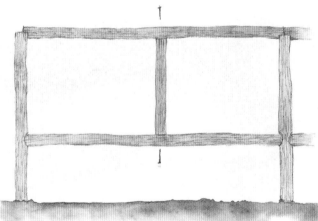

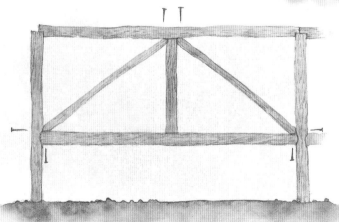

4   Les barres diagonales sont très utiles
aux plantes grimpantes. Mesurez ces barres
avec précision, puis coupez des onglets en
angle droit et fixez sur la structure.

Schéma de plantation

Parmi les grimpantes convenant aux treillages rustiques, on trouve la clématite, le rosier, le chèvrefeuille et la vigne.

Les treillages doivent être équilibrés, il faut donc choisir des plantes complémentaires. Le projet présenté ci-dessous mesure 1,8 m x 1,2 m.

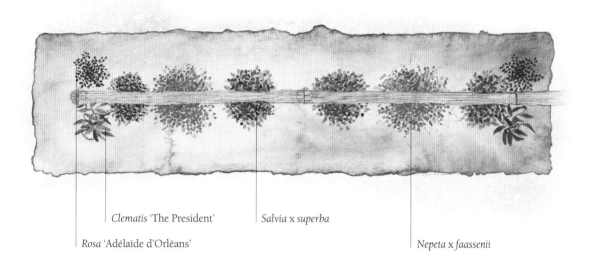

Clematis 'The President'

Rosa 'Adélaïde d'Orléans'

Salvia x *superba*

Nepeta x *faassenii*

5   Si toute la structure a été traitée (et pas seulement les parties enterrées des piliers), l'espérance de vie du treillage n'en sera que plus longue. Bannissez la créosote car elle abîme les plantes. Lorsque le printemps arrive, vérifiez la solidité de la structure et remplacez les parties abîmées.

6   La clématite fait partie du groupe 2 (voir page 258). Elle doit donc être légèrement élaguée au début du printemps. Ne taillez pas le rosier la première année. Ensuite, il faut chaque année enlever deux à trois pousses post floraison, élaguer les pousses restantes d'un quart, et rabattre les rameaux sur le côté des deux tiers.

Enclos en treillis pour aromatiques

Cette composition en enclos est d'inspiration romantique. Les herbes semblent former une masse épaisse retenue par un buis plus classique et une bordure de lavande. Ce jardin est composé de quatre plates-bandes dont les compositions se répondent de façon croisée.

MATÉRIEL & ÉQUIPEMENT

16 piquets en bois • 33,5 m de cordeau

Engrais organo-minéral ou compost mature

4 coins de treillage (voir page 247)

16 dalles de bordure en béton de 900 x 150 mm

4 obélisques en bois

14 buis communs (*Buxus sempervirens*)

14 buis panachés (*Buxus sempervirens* 'Elegantissima')

4 buis taillés en pyramide

20 lavandes (*Lavandula angustifolia*)

2 pots de *Phillyrea angustifolia*

2 pots de chèvrefeuille (*Lonicera periclymenum*)

Gravier • Pots d'herbes aromatiques

Équerre • Bêche

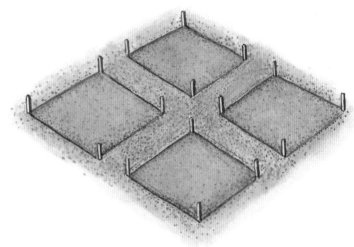

1 À l'aide des piquets et du cordeau, délimitez un lopin de 4,5 x 4,5 m. Vérifiez les angles droits à l'équerre. Enlevez les touffes d'herbes et retournez la terre (voir le double bêchage, page 250). Divisez le lopin en quatre plates-bandes de 1,8 m de côté espacées de 900 mm.

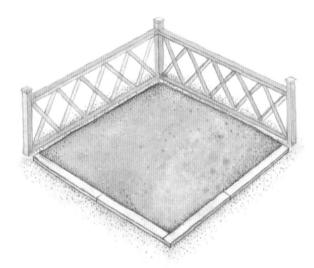

2 Fermez les plates-bandes avec les coins de treillage dont les piliers reposent sur des pointes en métal. (Les instructions sur les unités de coin sont données en page 247. Un total de 12 piliers et 12 pointes sera nécessaire pour en confectionner quatre.) Dallez les contours des plates-bandes. Les dalles ne doivent pas dépasser la surface de plus de 50 mm. Couvrez de gravier les allées entre les plates-bandes afin d'en faciliter l'accès.

3 Sur les plates-bandes A, plantez un buis commun tous les 230 mm et un pied de lavande tous les 260 mm comme sur l'illustration. Les plates-bandes B contiennent sept buis panachés et cinq pieds de lavande. Plantez un buis taillé en pyramide dans chaque plate-bande, un *Phillyrea angustifolia* dans les plates-bandes A et un chèvrefeuille dans les plates-bandes B. Placez l'obélisque, le cas échéant, selon l'illustration de la page 119.

Buis commun
(*Buxus sempervirens*)

Buis taillé en pyramide
(*Buxus sempervirens*)

Phillyrea angustifolia

Lavande
(*Lavandula angustifolia*)

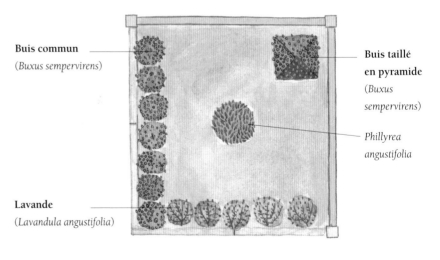

4 Achetez les herbes de préférence dans des pots de 130 mm de diamètre. Plantez-les à la fin de l'automne ou au début du printemps sur les plates-bandes A et B, en suivant l'illustration de la page 119. Inversez diagonalement la plantation pour les autres plates-bandes.

5 La sauge, l'estragon, et la menthe se taillent à l'automne. Le romarin et la lavande, vers le milieu du printemps.

Schéma de plantation pour la plate-bande A

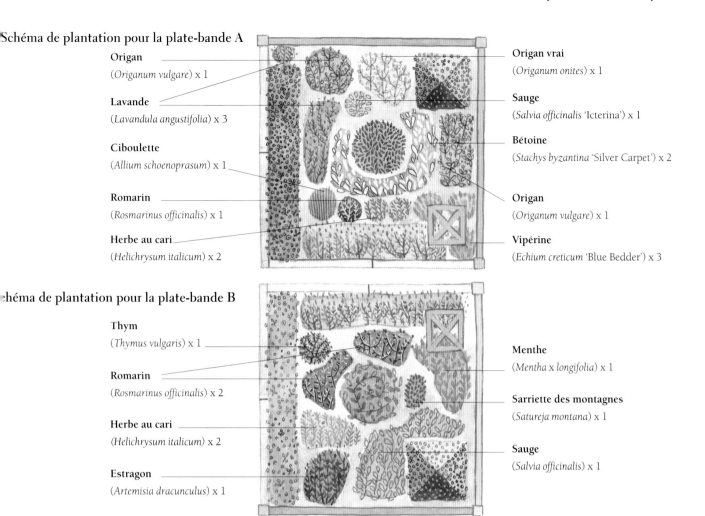

Origan
(*Origanum vulgare*) x 1

Lavande
(*Lavandula angustifolia*) x 3

Ciboulette
(*Allium schoenoprasum*) x 1

Romarin
(*Rosmarinus officinalis*) x 1

Herbe au cari
(*Helichrysum italicum*) x 2

Origan vrai
(*Origanum onites*) x 1

Sauge
(*Salvia officinalis* 'Icterina') x 1

Bétoine
(*Stachys byzantina* 'Silver Carpet') x 2

Origan
(*Origanum vulgare*) x 1

Vipérine
(*Echium creticum* 'Blue Bedder') x 3

Schéma de plantation pour la plate-bande B

Thym
(*Thymus vulgaris*) x 1

Romarin
(*Rosmarinus officinalis*) x 2

Herbe au cari
(*Helichrysum italicum*) x 2

Estragon
(*Artemisia dracunculus*) x 1

Menthe
(*Mentha* x *longifolia*) x 1

Sarriette des montagnes
(*Satureja montana*) x 1

Sauge
(*Salvia officinalis*) x 1

Composition verticale

Planter à la verticale est une bonne manière de garder son intimité dans un jardin de ville. Une haie ordinaire est la solution la plus populaire, mais même sur une terrasse on peut réaliser d'intéressants paravents en utilisant des conteneurs. Ce projet vous montre comment obtenir une palissade de tilleul et de lierre, sous laquelle sont posés des bacs à fleurs. Si vous souhaitez clore complètement votre jardin, ajoutez simplement un fond de bacs et de treillage.

MATÉRIEL & ÉQUIPEMENT

2 bacs en béton de 600 x 450 x 450 mm

1 bac en béton de 450 x 450 x 450 mm

Peinture mate vert foncé

Treillage de 1,8 x 1,8 m

2 piliers en bois de 2 200 x 50 x 50 mm

Fil de fer plastifié

Galets

Tessons d'argile

Compost végétal et engrais retard

1 tilleul à grandes feuilles (*Tilia platyphyllos* 'Rubra')

6 pieds de lierre (*Hedera helix*)

8 pétunias blancs • 8 *Verbena tenera* pourpres

8 *Verbena tenuisecta f. alba*, blanches et grimpantes • 2 fougères (*Athyrium filix-femina*)

1 Commencez par fixer le treillage. Les piliers de ce projet ont été attachés à un parapet de 300 mm de haut. En l'absence de mur, fixez les piliers au sol. Espacez les piliers de 1,8 m afin de pouvoir loger le treillage. Vissez le treillage sur la face avant des piliers, à 300 mm au-dessus du sol. Vous pouvez aussi faire passer vos plantes le long d'un fil de fer si vous possédez un mur ou une clôture. Tendez du fil de fer entre deux pitons et renforcez le tout avec des vis.

2 Améliorez l'apparence des bacs en béton en passant une couche de peinture mate. Les couleurs foncées fonctionnent mieux avec une composition végétale.

3 Plantez le tilleul dans le plus petit des bacs. Choisissez un spécimen élevé en pot avec un système de racines dense, des pousses droites, d'une taille de 1,8 m si possible et des pousses latérales au sommet. Plantez en automne ou au début du printemps.

4 Recouvrez d'argile les trous d'évacuation de votre bac puis ajoutez une couche de compost. Dépotez le tilleul, puis placez-le à l'arrière du bac. Plantez les fougères devant le tilleul et ajoutez du compost autour des mottes. Assurez-vous que le tout est bien au même niveau puis remplissez le reste du bac avec du compost. Arrêtez-vous à 80 mm du bord. Ajoutez de l'engrais retard et décorez la surface avec des galets.

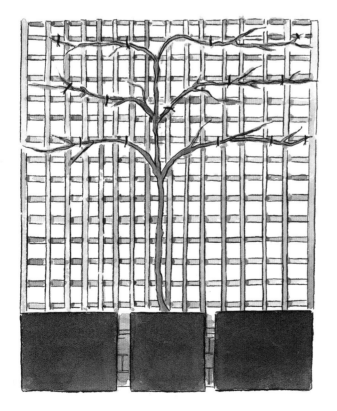

5 Pour réaliser la bande au sommet du treillage, on a étendu trois lignes horizontales de pousses. Commencez par choisir deux grosses pousses d'une longueur d'environ 1,2 m, de chaque côté du tronc. Fixez les pousses sur le treillage avec du fil de fer. Répétez l'opération pour les deux lignes suivantes en les espaçant d'environ 300 mm.

6 Enlevez tous les autres départs de branche du tronc et déployez les pousses latérales sur toute la largeur du treillage. Élaguez et taillez l'excès de feuillage une fois par an.

7 Posez les deux gros bacs de chaque côté du tilleul. Recouvrez le fond d'argile et de compost. Arrêtez à 80 mm du bord du bac. Choisissez un pied de lierre bien fourni en pousses de façon à obtenir un effet de haie. Placez trois pieds de lierre à l'arrière de chacun des bacs et remplissez de compost. Si vous désirez créer un paravent dense, vous pouvez donner au lierre une forme d'éventail en l'attachant au treillage avec du fil de fer.

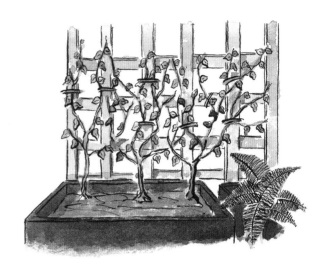

8 Laissez pousser le lierre jusqu'à une hauteur de 900 mm. Laissez les lierres se mélanger entre eux. Éclaircissez le lierre pour le garder contre le treillage, et garder une ligne bien droite sur le sommet. Le lierre ne doit jamais atteindre la hauteur du tilleul, cela ne ferait que gâcher l'effet de bande.

9 Complétez la plantation des gros bacs avec des plantes de saison. Pour un spectacle estival, faites une composition de pétunias blancs et de verveines pourpres et blanches. Gardez le tout bien humide et bien nourri. Pour rallonger le paravent ou fermer un espace, ajoutez des bacs et du treillage.

Autres sujets de plantation
Plantez des myosotis (*Myosotis alpestris*) pour un printemps de brume bleutée, plantez un cyclamen élevé en pot, comme *Cyclamen cilicium* ou *C. hederifolium*, pour l'automne.

Tonnelle parfumée

Une tonnelle est l'endroit parfait pour s'asseoir et se relaxer, surtout après une journée
de travail. L'odeur des plantes grimpantes entourant la tonnelle et la nature même
de la structure s'associent à cet effet apaisant. Le feuillage et les fleurs de la tonnelle créent
une sensation d'intimité sans qu'on soit pour autant enfermé. La structure est ici couverte
de 'New Dawn', une rose qui fleurit plusieurs fois tout au long de l'été.

MATÉRIEL & ÉQUIPEMENT

2 panneaux en treillis de 1,8 m x 900 mm pour les côtés

1 panneau en treillis de 2,5 x 1,8 m pour le fond

1 panneau en treillis de 2,5 m x 900 mm pour le toit

4 piliers carrés de 2,5 m x 100 mm x 100 mm

4 fleurons en bois

Clous galvanisés

2 seaux de gravier ou de cailloux

0,25 m³ de béton

Fil de fer en acier galvanisé ou plastifié

Banc rustique

2 rosiers 'New Dawn'

2 seaux de compost

Niveau à bulle

1   Lorsque vous achetez le cadre, pensez à prévoir l'espace pour une table et des chaises (si vous pensez un jour manger sous la tonnelle) et aussi pour le rosier qui dépassera d'au moins 450 mm sur votre espace de repos. Des modèles variés en bois ou en métal sont aussi disponibles dans le commerce.

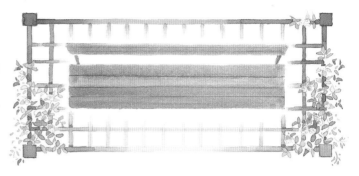

2   Si la tonnelle est placée dans un endroit déjà couvert, les piliers peuvent être simplement plantés dans 600 mm de terre. Mais si elle demande la pose d'un toit, la structure doit être plus solide et les piliers doivent être plantés dans du béton. Creusez des trous de 600 mm de profondeur et déposez une couche de 100 mm de gravier au fond. Insérez les piliers, vérifiez leur verticalité avec un niveau à bulle. Remplissez les trous de béton.

3   Clouez le panneau arrière et les panneaux latéraux aux piliers. Afin d'éviter que le bois ne se casse, percez des trous pilotes dans les panneaux. Une autre solution consiste à utiliser des pinces qui sont tout d'abord clouées ou vissées aux piliers puis ensuite aux panneaux. Vérifiez que les panneaux sont bien droits avec un niveau. Clouez ou vissez les fleurons sur les quatre piliers.

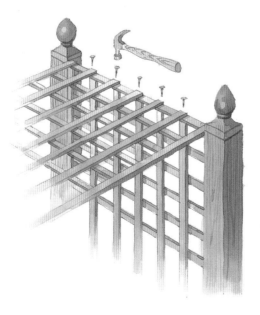

4   Coupez le panneau du toit pour qu'il soit bien assis sur les panneaux latéraux et sur le panneau arrière. Clouez ou vissez le toit directement sur les panneaux latéraux qui auront été percés au préalable. Si le sommet des panneaux latéraux n'est pas suffisant pour soutenir le poids du toit, fixez des tasseaux de 50 x 25 mm pour renforcer la structure.

5 Plantez deux rosiers de chaque côté du panneau arrière de la tonnelle. Préparez la terre en y incorporant une bonne dose de compost mature tout autour des pieds. Creusez un trou à peine plus large que la motte du rosier et plantez les rosiers de façon que la motte soit au même niveau que le sol. Comblez le trou avec de la terre. Aplanissez la terre autour des racines et arrosez. Placez le banc sous la tonnelle.

6 Étalez les pousses des rosiers à peine plantés de façon qu'elles partent en éventail sur les côtés et l'arrière de la tonnelle. Attachez les tiges avec du fil de fer. Continuez de les attacher pendant leur croissance pour qu'ils finissent par couvrir toute la tonnelle.

7 Comme tous les rosiers grimpants ou retombants, *Rosa* 'New Dawn' est une plante vigoureuse qui produit quantité de boutons, du milieu de l'été à l'automne. Il peut aussi pousser sans problème dans un endroit partiellement ombragé.

Obélisque en bois

L'obélisque en treillage a longtemps été utilisé pour décorer les jardins. Deux obélisques peuvent encadrer une vue particulière ou souligner l'entrée d'une maison. La forme de l'obélisque convient aux plantes grimpantes telles que le lierre, la clématite, le chèvrefeuille ou le houblon. Nous avons pris de l'aubépine pour ce projet. Taillez cette plante à pousse rapide le long du treillage pour obtenir la forme d'une pyramide élancée et élégante.

MATÉRIEL & ÉQUIPEMENT

Planche de bois massif (voir les étapes 1, 2, 5 et 6 en page 130)

Planche de contreplaqué d'extérieur de 380 x 380 x 10 mm

Vis n° 8 de 40 mm

Clous à tête d'homme galvanisés de 40 mm

1 l de produit traitant pour bois clair

1 l de mordant

50 l de terreau

Tessons d'argile

4 pieds d'aubépine (*Crataegeus monogyna*)

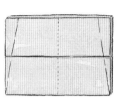
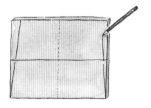

2 Percez des trous de 40 mm sur les deux côtés courts, à 10 mm du bord du biseau. Coupez quatre tasseaux de coin de 350 x 25 x 25 mm chacun, et vissez-les sur les côtés percés, en laissant une marge de 25 mm en bas.

1 Pour réaliser les côtés long et courts du conteneur, assemblez deux planches de 150 mm de large. Pour les côtés courts, marquez une largeur de 390 mm à la base et tracez une ligne verticale au centre. Puis marquez une largeur de 340 mm sur le sommet répartie de manière égale sur les deux côtés de la ligne centrale. Utilisez ces marques pour tracer le biseau avant de scier. Répétez l'opération pour les côtés longs avec une largeur de 430 mm à la base et une de 380 mm au sommet.

3 Placez les côtés longs sur la face extérieure des côtés courts pour obtenir une base et un sommet carrés. Percez les côtés longs pour des vis de 40 mm et vissez les pièces.

4 Pour faire le fond, découpez des carrés de 25 x 25 mm sur chaque coin du contreplaqué. Percez cinq trous d'évacuation de 25 mm de diamètre comme sur l'illustration. Insérez la base par le dessous de la cuve avant de fixer les supports.

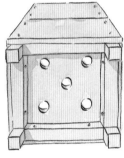

5 Coupez quatre supports en bois de 340 x 25 x 25 mm et placez les tasseaux contre les quatre coins du fond. Vissez avec des vis de 40 mm dans les trous prévus à cet effet.

6 Pour réaliser l'obélisque, coupez le bois comme suit :
• 4 tasseaux latéraux de 2 350 x 25 x 25 mm
• 18 m de barreaux de 25 x 20 mm
• 1 chapeau de 100 x 100 x 100 mm
• 1 planche de 100 x 100 x 25 mm pour servir de base au chapeau

7 Placez deux tasseaux latéraux, espacés de 100 mm au sommet et de 480 mm à la base. Coupez et clouez un barreau à 130 mm du sommet et un deuxième à 150 mm de la base, comme sur l'illustration. Les barreaux doivent être légèrement plus longs que l'espace compris entre les deux tasseaux. Marquez des deux côtés la position des 14 barreaux à venir en les espaçant de 140 mm.

8 Coupez et clouez les 14 barreaux sur les marques. Sciez les bords qui dépassent.

9 Pour assembler le reste de l'obélisque, couchez les deux sections complètes sur le côté. Coupez et clouez un barreau de base et un de sommet comme à l'étape 7. Faites les marques des barreaux comme précédemment. Coupez et clouez les barreaux en vérifiant qu'ils s'alignent bien avec les autres côtés. Répétez l'opération pour les quatre côtés et sciez tous les bouts qui dépassent.

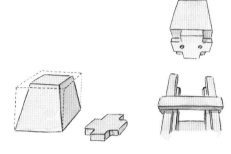

10 Pour réaliser le sommet, biseautez le chapeau selon un angle de 85°. Puis découpez des carrés de 25 x 25 mm à chaque coin de la planche. Percez sur 50 mm et vissez la planche à la base la plus large du chapeau. Posez le chapeau sur le sommet de l'obélisque et clouez le tout aux tasseaux latéraux.

11 Avant d'assembler toute la structure, passez une couche de produit traitant sur l'obélisque et sur la cuve. Lorsque le bois est sec, appliquez deux couches de mordant.

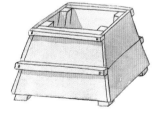

12 Plantez les pieds d'aubépine dans le conteneur : recouvrez le fond avec des tessons d'argile et installez les pieds dans du terreau. Inclinez les pieds légèrement vers le centre. Remplissez le conteneur de terreau jusqu'à 25 mm du haut.

13 Pour assembler le conteneur et l'obélisque, commencez par couper quatre tasseaux de 400 x 25 x 25 mm. Percez des trous de 40 mm et vissez les tasseaux sur les côtés du conteneur ; un tasseau de niveau avec le haut et l'autre 130 mm en dessous.

14 Placez l'obélisque sur la cuve, assurez-vous que la structure s'assemble correctement et vissez comme ci-dessus. Fixez les deux barreaux du bas sur les côtés de la cuve.

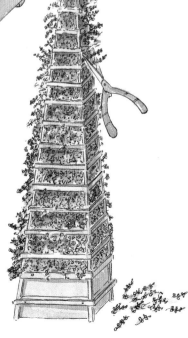

15 Arrosez bien la cuve et donnez de l'engrais liquide en période de végétation. Taillez le long du treillage pour obtenir la forme d'une élégante pyramide élancée. L'aubépine doit être taillée plusieurs fois par an.

Clôture miniature

Les bordures décorées ajoutent une touche finale aux lisières et aux allées, et soulignent les limites entre les différents espaces. Mais les bordures peuvent aussi avoir d'autres fonctions, plus pratiques. Cette charmante clôture miniature sépare les plantes du gazon et dissuade les animaux domestiques de courir à travers les plates-bandes. Décorative, cette clôture simple s'adresse tout particulièrement au menuisier débutant.

MATÉRIEL & ÉQUIPEMENT

2 piliers en châtaignier de 230 mm de long sur 50 mm de diamètre

5 barreaux en châtaignier de 400 mm de long sur 25 mm de diamètre

3 croisillons en châtaignier de 200 mm de long sur 25 mm de diamètre

Clous en acier galvanisé

Produit traitant pour bois ● Burin ● Cutter

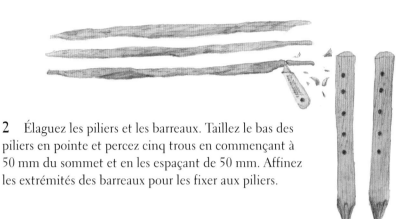

1 Les clôtures présentées sont faite en châtaignier mais elles peuvent aussi être en noisetier. Enlevez l'écorce et fendez le bois en deux, dans le sens de la longueur, avec un cutter et un burin.

2 Élaguez les piliers et les barreaux. Taillez le bas des piliers en pointe et percez cinq trous en commençant à 50 mm du sommet et en les espaçant de 50 mm. Affinez les extrémités des barreaux pour les fixer aux piliers.

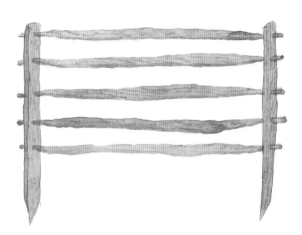

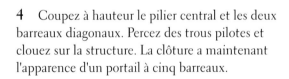

3 Assemblez la clôture : percez des trous pilotes horizontaux à travers les piliers et les extrémités des barreaux. Renforcez la structure en enfonçant des petits clous en acier galvanisé dans les trous pilotes.

4 Coupez à hauteur le pilier central et les deux barreaux diagonaux. Percez des trous pilotes et clouez sur la structure. La clôture a maintenant l'apparence d'un portail à cinq barreaux.

5 Le secret dans l'utilisation de la clôture consiste à la placer avant que les plantes ne commencent à pousser. Elle freinera leur croissance excessive tandis que certaines pousses et feuilles pousseront au-dessus et au travers de la clôture, lui conférant un aspect naturel.

Autres clôtures
Choisissez de fines baguettes de noisetier d'environ 1 m de long, de celles qu'on utilise pour faire des paniers. Enfoncez une extrémité dans le sol puis courbez la baguette en arceau. Faites chevaucher les extrémités pour une finition plus élégante.

6   Passez un produit traitant qui n'attaque pas les plantes. À l'occasion, réparez les parties abîmées de la clôture. L'hiver, enlevez les clôtures pour les réparer, repassez une couche de produit traitant et gardez-les bien au sec.

Palissade

La palissade est le vestige ornemental d'une époque où l'on effilait les clôtures en pointes pour empêcher les gens ou les animaux d'entrer. De nos jours, elle est devenue décorative. De par son élégante simplicité, elle convient autant à la formalité d'une composition qu'à l'exubérance d'un jardin de cottage. Les palissades plates ou en piquets sont simples à construire. En revanche, une palissade aux fleurons plus complexes exige l'utilisation d'une scie à ruban.

MATÉRIEL & ÉQUIPEMENT

2 piquets principaux de 1,5 m de long et de 100 mm de section

(1 pour 2 m plus 1 de rechange)

13 piquets de 1 m x 75 x 10 mm

2 traverses en bois de 2 m x 80 x 40 mm

Clous galvanisés de 45 mm

1/2 seau de cailloux par trou

3 seaux de béton

Produit traitant pour bois

Gabarit pour le sommet des piquets

Burin • niveau à bulle

Peinture ou mordant d'extérieur (facultatif)

1 Lorsque vous achetez le bois, ajoutez 450 mm à la longueur des piquets principaux pour qu'ils soient bien enfoncés dans le sol (voir aussi l'étape 1 de la page 110 pour connaître la longueur des piquets). Déterminez la position des piquets et, à l'aide d'un burin, faites une entaille sur deux côtés opposés des piquets principaux. Cette entaille doit être plus large de 2 mm que l'extrémité des traverses. Passez le produit traitant et placez le premier piquet.

2 Creusez un trou de 600 mm de profondeur et de 250 mm de largeur, soit plus large que le pilier. Recouvrez le fond de cailloux puis de béton. Quand ce dernier est sec, recouvrez le tout de terre et de gazon.

3 Faites un gabarit pour le sommet des piquets et découpez. Clouez les piquets aux traverses horizontales pour monter les panneaux. Espacez les piquets de 80 mm et faites passer les traverses à 250 mm du sommet et de la base (un quart de la longueur du piquet). Utilisez des clous galvanisés car ils ne rouillent pas.

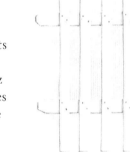

4 Glissez l'extrémité des traverses dans les entailles du pilier. Enfoncez-les bien puis clouez. Placez le pilier suivant. Creusez les fondations, recouvrez de cailloux. Alignez ce pilier avec le précédent, alignez puis fixez le panneau et terminez la fondation.

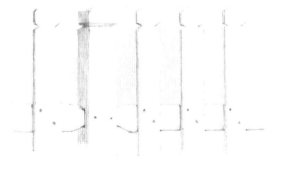

5 Le bois peut être laissé tel quel, sachant qu'il peut vivre des années du moment qu'il n'est pas en contact direct avec le sol. Néanmoins, traiter ou peindre la palissade ne fera qu'augmenter son espérance de vie. Les piquets principaux devraient toujours être traités.

Fleurons simples et décoratifs

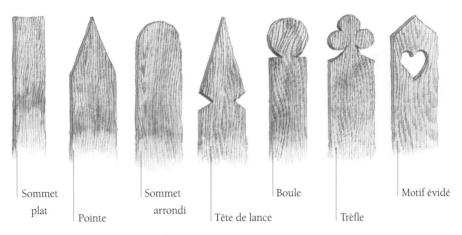

Sommet plat

Pointe

Sommet arrondi

Tête de lance

Boule

Trèfle

Motif évidé

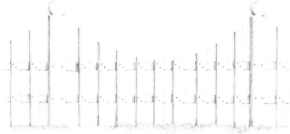

La palissade à courbes

Avec un peu d'organisation, on peut concevoir une palissade un peu plus élaborée en faisant varier la hauteur des piquets pour créer une forme de courbe continue.

La palissade rustique

Pour obtenir un effet moins classique, utilisez du bois naturel ni trop abîmé, ni trop grossier en clouant simplement les différentes parties ensemble. Inutile d'avoir des mesures très précises car le projet est ici plus brut, cependant on peut toujours l'agrémenter de quelques motifs sculptés.

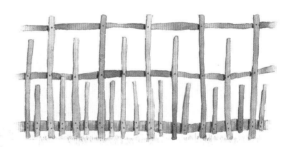

Clayonnage

Il n'y a rien de mieux que le clayonnage pour faire un paravent provisoire. Le clayonnage a cette apparence rustique qui profite aussi bien aux décors moins classiques qu'aux compositions modernes. Son utilité première était de protéger et de parquer des moutons. Aujourd'hui il sert aussi à clôturer ou à protéger des animaux domestiques une partie du jardin. Le clayonnage ne dure pas très longtemps mais, solidement installé, il reste pittoresque.

MATÉRIEL & ÉQUIPEMENT

2 piliers de 1,8 m pour le premier panneau puis 1 par panneau

1 clayonnage de 1,8 x 1,2 m tous les 1,8 m

Fil de fer galvanisé • Tenailles

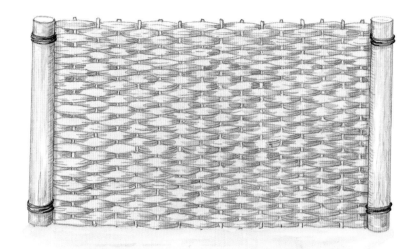

1 Pour un panneau « longue durée », plantez les piliers dans du béton. En revanche, si le paravent n'est que temporaire, les planter dans la terre suffit. Passez plusieurs tours de fil de fer autour des piliers et au travers des panneaux à 100 mm du sommet et de la base.

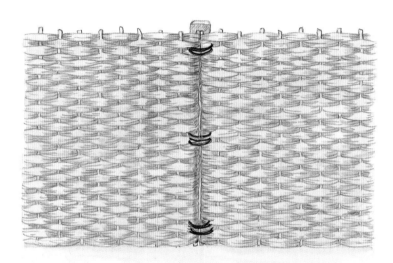

2 Fixez les piliers comme ci-dessus et rassemblez le bord des panneaux sur le pilier pour le cacher. Fixez le pilier et les deux panneaux avec du fil de fer. Laisser dépasser l'extrémité du fil peut être dangereux.

3 Un clayonnage non traité tiendra une dizaine d'années au plus. En revanche, un clayonnage traité tiendra plus longtemps. Bannissez la créosote car elle est toxique pour les plantes. En cas de vents forts, ajoutez un tiers de fil de fer pour renforcer les attaches autour des piliers (comme à l'étape 2). Vérifiez que les piliers se maintiennent bien dans le sol, surtout s'ils ne sont plantés que dans de la terre.

Le brise-vent temporaire

Le clayonnage est parfait en brise-vent.
Il faut le placer à environ 1 m des jeunes plants.
Les panneaux devraient résister au vent, mais
vérifiez quand même régulièrement leur solidité.

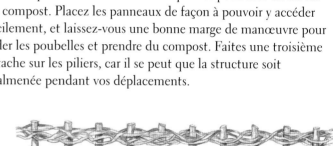

Le paravent de jardin

Le clayonnage peut servir de paravent pour cacher des éléments
inesthétiques mais nécessaires tels que des poubelles ou un tas
de compost. Placez les panneaux de façon à pouvoir y accéder
facilement, et laissez-vous une bonne marge de manœuvre pour
vider les poubelles et prendre du compost. Faites une troisième
attache sur les piliers, car il se peut que la structure soit
malmenée pendant vos déplacements.

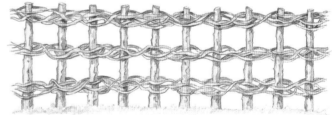

Le clayonnage ouvert

Pour obtenir le paravent domestique idéal, enfoncez
des piquets tous les 300 mm et étalez des branches
de saule ou de noisetier sur cet espace. Tressez trois
ou quatre pousses dans toutes les directions, comme
pour former une corde.

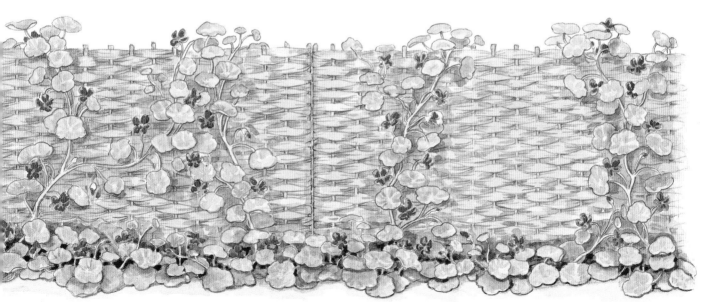

Parterre en échiquier

Ce projet vous propose d'aborder l'un des plaisirs du jardinage : jouer avec le contraste du vide et de la luxuriance. Le parterre apporte un ordre là où le jardin reste confus, et s'avère idéal pour les petits espaces. L'échiquier est inspiré des motifs du XVIᵉ et du XVIIᵉ siècle. Les herbes sont taillées sur le dessus et les côtés afin d'accentuer le contraste entre la couleur de l'herbe et celle du gravier.

MATÉRIEL & ÉQUIPEMENT

14 m de bois massif de 130 x 25 mm

Clous galvanisés de 50 mm

1 l de produit traitant pour bois clair

1 l de mordant noir

Compost mature

6 carrés de polyéthylène dur de 450 x 450 mm

Gravier rond

Compost végétal

Gravier

54 pots de romarin (*Rosmarinus officinalis*)

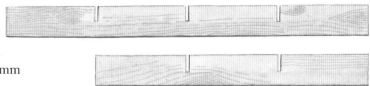

1   Coupez trois planches de bois massif de 1 330 mm de long et deux de 1 780 mm. Taillez des encoches comme sur l'illustration, de 20 mm de largeur sur 60 mm de profondeur, espacées de 430 mm.

2   Encastrez les planches de 1 330 mm dans les deux planches de 1 780 mm, comme sur l'illustration, de façon à former une grille.

3   Coupez dans le bois massif deux planches de 1 330 mm et deux de 1 823 mm. Clouez les quatre planches à la grille comme sur l'illustration. Si le bois n'est pas traité, appliquez le produit traitant.

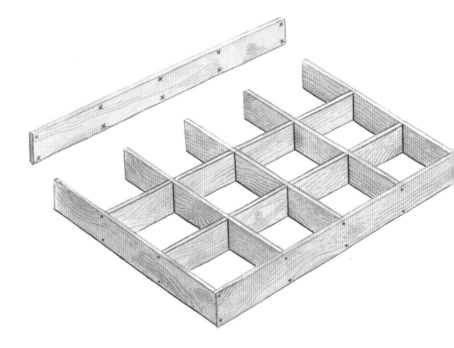

4   Creusez et désherbez un carré de 1,8 m de côté puis ajoutez du compost mature (voir le double bêchage, page 250). Teintez le parterre avec du mordant noir avant de l'installer dans le sol. Creusez sur une profondeur de 80 mm pour qu'il dépasse du sol de 50 mm.

5 Après avoir bien aplati la terre, recouvrez d'un carré de polyéthylène les sections qui seront en gravier. Remplissez chacun de ces carrés d'une épaisseur de 25 mm de gravier rond. Pour varier les plaisirs, vous pouvez aussi utiliser des gravillons blancs ou de couleur.

6 Dépotez les romarins et plantez neuf plants par carré restant. La terre doit être au final à 25 mm du sommet de la planche. Vous pouvez aussi mettre d'autres plantes telles que la rue, la santoline ou le thym. Taillez les herbes pour garder la forme plate et carrée.

7 Ce parterre est entouré d'une bordure de gravier contrastant avec le gravier rond de l'échiquier, mais ce contraste peut être tout aussi efficace avec du gazon.

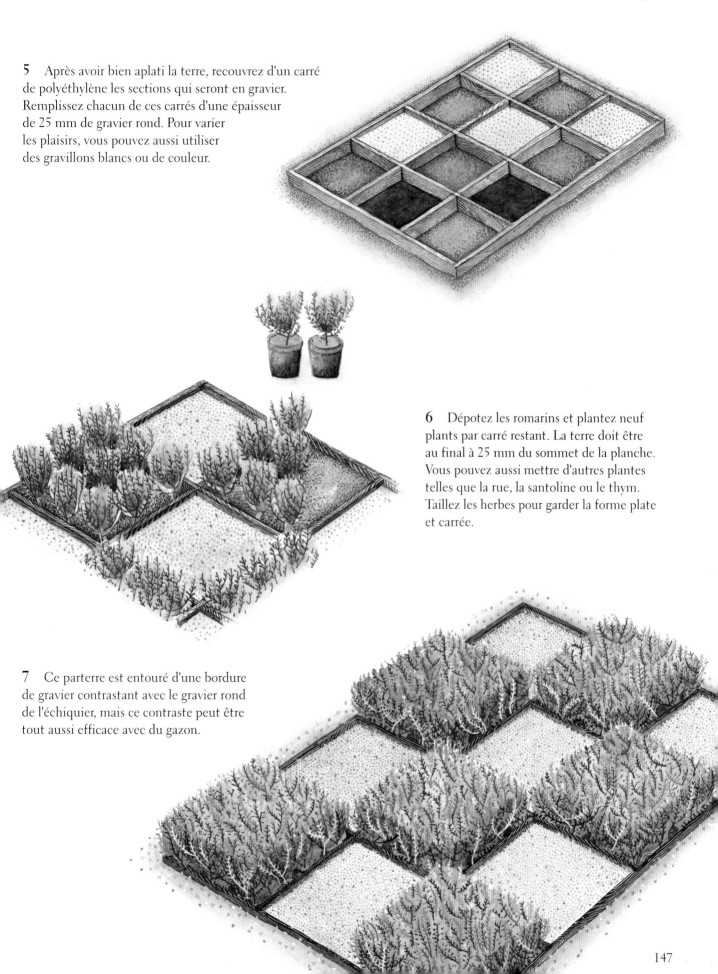

Étagère végétale

Les étagères semi-circulaires de la villa Pisani, près de Padoue en Italie, furent inventés au XVIIIᵉ siècle pour présenter la plus large variété de plantes possible sur un espace limité tel qu'une serre ou une orangerie. On peut aussi réaliser une étagère circulaire tout simplement en joignant dos à dos deux étagères similaires. Le matériau d'origine est le chêne mais le contreplaqué aggloméré utilisé pour ce projet est bien moins cher.

MATÉRIEL & ÉQUIPEMENT

Planche de bois raboté de 4 500 x 100 x 50 mm

Planche de contreplaqué d'extérieur de 1 200 x 600 x 20 mm

Vis n° 8 de 50 mm et 100 mm

1 l de produit traitant pour bois clair

1 l de peinture mate vert foncé

9 pots en argile de 150 mm de diamètre et 8 pots en argile de 200 mm de diamètre

Tessons d'argile

Compost de tourbe

Herbes culinaires en pot (voir page 151)

Scie sauteuse avec une lame à chantourner

Longue règle

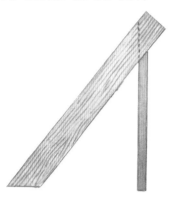

1 Pour faire la patte de devant, couchez une planche de 1 m sur le sol. À l'aide d'une règle, tracez les angles de découpe comme sur l'illustration. La longueur finale de la jambe de devant devrait être de 860 mm.

2 La disposition des pattes latérales est montrée sur l'illustration. Coupez et couchez deux planches de 900 mm comme auparavant. À l'aide d'une règle, tracez les angles de découpe de la même manière que sur l'illustration. Notez que les pattes latérales buttent sur la patte de devant, donc pensez à laisser un peu d'espace lors du traçage. Les pattes latérales doivent être plus courtes de 20 mm que la règle.

3 Assemblez les deux pattes latérales à la patte de devant en utilisant deux vis de 100 mm par patte. Les pattes latérales doivent être placées à 20 mm du sommet de la patte de devant.

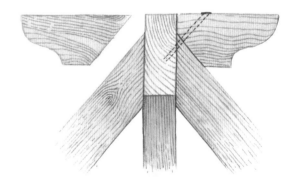

4 À l'aide d'une scie sauteuse, coupez neuf consoles en bois avec une lame à chantourner. Placez les consoles supérieures en premier. Coupez un coin des consoles latérales sur une profondeur de 20 mm. Vissez les consoles aux pattes.

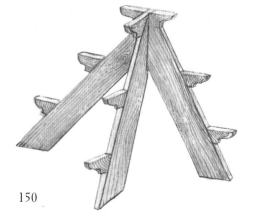

5 Pour les consoles centrales et inférieures, ne coupez pas les coins. Placez les consoles comme sur l'illustration. Celles des côtés doivent être espacées de 290 mm et de 320 mm, de haut en bas. L'intervalle entre le sol et la console du bas doit être de 260 mm. Percez les consoles, puis vissez aux pattes en partant du haut. Fixez les consoles sur la patte de devant de la même manière.

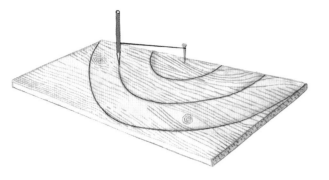

6 Pour faire les étagères, découpez le contreplaqué en trois demi-cercles de 200 mm, 400 mm et 600 mm de diamètre. Avant de couper, tracez des repères sur le contreplaqué en reliant un crayon et un clou par un fil et en plaçant le clou au centre du bord long de la planche.

7 Vissez l'étagère du haut sur les consoles supérieures avec des vis de 50 mm. Mettez deux vis par console pour fixer l'étagère du bas. Traitez le bois s'il ne l'est pas déjà. Peignez.

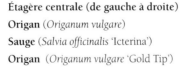

8 Le plateau peut soutenir neuf pots d'un diamètre de 150 mm et huit pots de 200 mm. D'autres pots d'herbes peuvent être disposés au sol. Garnissez chaque pot d'une couche de tessons d'argile et installer les herbes dans le compost. Laissez une marge de 20 mm entre la surface de la terre et le haut du pot.

Étagère supérieure
Capucines (*Tropaeolum* 'Alaska')

Étagère centrale (de gauche à droite)
Origan (*Origanum vulgare*)
Sauge (*Salvia officinalis* 'Icterina')
Origan (*Origanum vulgare* 'Gold Tip')

Étagère inférieure (de gauche à droite)
Origan sauvage (*Origanum vulgare* 'Aureum')
Romarin (*Rosmarinus officinalis*)
Persil (*Petroselinum crispum* 'Moss Curle')
Ciboulette (*Allium schoenoprasum*)
Menthe douce à feuilles rondes (*Mentha suaveolens* 'Variegata')
Sauge (*Salvia officinalis*)

Au sol (de gauche à droite)
Menthe douce (*Mentha spicata*)
Sauge pourpre (*Salvia officinalis* Purpurascens Group)
Menthe poivrée (*Mentha* x *piperita* 'Citratra')
Pensée tricolore (*Viola tricolor*)
Sarriette (*Satureja hortensis*)
Thym citron (*Thymus* x *citriodorus* 'Aureus')
Menthe douce (*Mentha spicata*)

Théâtre de primevères

Le théâtre de primevères est la version réduite d'un présentoir abrité du XIXe siècle, utilisé pour exposer les plus belles plantes d'une collection tout en les protégeant du soleil et de la pluie. Le théâtre peut porter sans peine jusqu'à quinze pots de 100 mm de diamètre, de préférence en terre cuite. Peignez-le en bleu foncé, vert foncé, gris ou noir pour faire un bon arrière-plan aux couleurs riches et variées des primevères.

MATÉRIEL & ÉQUIPEMENT

Bois tendre ou massif (voir instructions)

Contreplaqué d'extérieur (voir instructions)

Clous galvanisés et clous à tête d'homme

Colle PVA imperméable

1 l de produit traitant pour bois ou de peinture d'apprêt à l'huile

Peinture microporeuse ou mordant

Jusqu'à 15 pots en terre cuite de 100 mm de diamètre

Primula vulgaris

P. denticulata

P. veris

P. 'Gold Laced'

Attention : ce projet est plutôt compliqué.
Si vous n'avez pas un bon niveau en menuiserie, consultez un professionnel.

1 Coupez le bois selon les schémas
et les mesures indiqués :

Façade

- 1 toit en contreplaqué de 1 520 x 560 x 10 mm
  A : 1395 mm, B : 540 mm, C : 200 mm
- 2 planches latérales en bois tendre de
  1 110 x 125 x 25 mm
- 1 planche inférieure de 1 095 x 180 x 25 mm

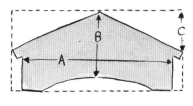

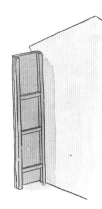

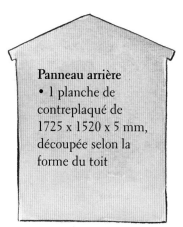

Panneau arrière

- 1 planche de
  contreplaqué de
  1725 x 1520 x 5 mm,
  découpée selon la
  forme du toit

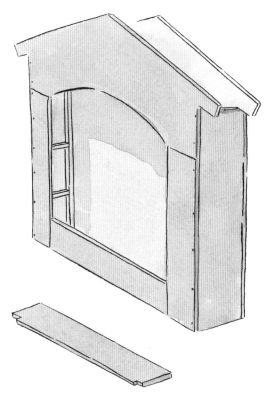

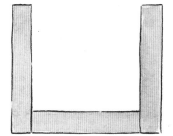

Côtés et supports

- 2 panneaux latéraux en contreplaqué
  de 1 395 x 200 x 10 mm
- 4 tasseaux latéraux en bois tendre
  de 1 395 x 25 x 25 mm
- 6 supports d'étagères en bois tendre
  de 150 x 25 x 25 mm

2 Pour monter les côtés, collez et clouez les tasseaux latéraux
aux bords extérieurs des deux panneaux latéraux. Puis clouez
et collez les supports d'étagère à 150, 480 et 785 mm du bas
des panneaux latéraux. Collez et clouez les deux côtés finis
au panneau arrière.

3 Pour construire la carcasse, collez et clouez la façade
à la structure arrière et latérale.

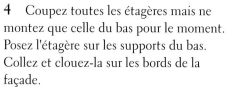

4 Coupez toutes les étagères mais ne
montez que celle du bas pour le moment.
Posez l'étagère sur les supports du bas.
Collez et clouez-la sur les bords de la
façade.

Étagères

- 2 planches de bois tendre
  de 1 370 x 150 x 25 mm
- 1 planche de fond en bois tendre de
  1 395 x 180 x 25 mm. Faites deux encoches
  de 25 mm x 25 mm sur les bords extérieurs

5 Posez les supports du toit comme sur
l'illustration. Enlevez tout excès de colle
(le toit se pose en dernier).

Supports de toit

- 6 supports de toit
  en bois tendre
  de 200 x 50 x 50 mm

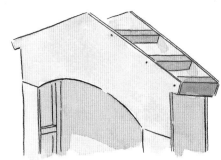

6 Coupez les sections supérieures et inférieures du fronton dans du bois tendre. Collez et clouez les onglets. Collez et clouez sur la carcasse dans la position indiquée. Posez la section supérieure en premier (pour couper en onglet, voir page 247).

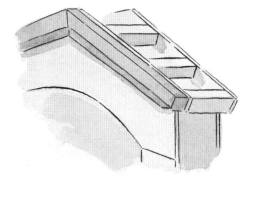

Fronton
• 2 sections supérieures de 50 x 50 mm et d'environ 760 mm de long, terminées par un onglet
• 2 sections inférieures de 50 x 50 mm et d'environ 760 mm de long, terminées par deux onglets

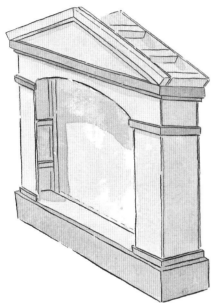

7 Coupez le pignon, les pilastres, les colonnes et les plinthes dans du bois tendre, comme sur les illustrations. Fixez de la même manière que pour le fronton (voir l'étape 6).

Pignon
• 1 section supérieure de 1 495 x 50 x 50 mm, coupée en onglet aux deux bouts
• 2 sections supérieures de 280 x 50 x 50 mm, coupées en onglet à un bout
• 1 section inférieure de 1 495 x 50 x 50 mm, coupée en onglet aux deux bouts
• 2 sections inférieures de 280 x 50 x 50 mm, coupées en onglet à un bout

Plinthes
• 1 pièce de 1 145 x 180 x 25 mm, avec deux onglets
• 2 pièces de 260 x 180 x 25 mm, avec un onglet

Pilastres
Toutes les pièces coupées en onglet d'un côté
• 2 pièces de 245 x 25 x 25 mm
• 2 pièces de 200 x 25 x 25 mm

Colonnes
Toutes les pièces coupées en onglet d'un côté
• 2 pièces de 245 x 10 x 25 mm
• 2 pièces de 180 x 10 x 25 mm

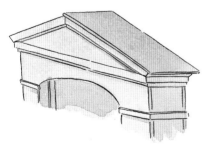

8 Coupez, clouez et alignez les planches du toit contre les bords du panneau arrière.

• 2 planches de contreplaqué de 780 x 305 x 10 mm, avec un onglet

9 Traitez le bois du théâtre et des étagères. Finissez en appliquant de la peinture microporeuse ou du mordant. Assurez-vous que la structure est bien sèche et aérée avant de poser les plantes, car les produits de traitement et les mordants sont souvent toxiques pour elles. Insérez les deux dernières étagères. Choisissez des plantes dans la liste proposée. Plantez dans des petits pots en terre cuite garnis d'un fond d'argile puis disposez les pots sur les étagères.

Panier en acier

Cet étrange panier en acier a été inspiré par les bordures que l'on utilisait au XIXᵉ siècle pour
soutenir et contenir les plantes. Une bande en acier galvanisé ferme par le bas
le panier qui enclôt un généreux buisson de roses. Pour ce projet, il vaut mieux utiliser
des rosiers couvre-sol à croissance lente, mais vous pouvez aussi adapter le panier
à des plantes plus grandes telles que les rosiers arbustifs.

MATÉRIEL & ÉQUIPEMENT

1 feuille d'acier galvanisé de 1 200 x 300 mm,
dans une épaisseur qui puisse être coupée avec des cisailles

6 boulons poêlier de 10 mm de long et de 6 mm de large

22 m de baguette en acier galvanisé d'une épaisseur de 5 mm

1 panneau de contreplaqué de 525 x 350 x 25 mm

Cisailles

Scie à métaux et un étau ou un serre-joint

1 petit pot de peinture bleu-gris pour métal

Rouleau de fil de fer galvanisé

Compost mature et engrais pour rosier

5 pieds de rosier (*Rosa* 'The Fairy')

1 Découpez la feuille d'acier galvanisé en trois bandes de 100 mm de large : deux de 1 200 mm de long et une de 600 mm de long.

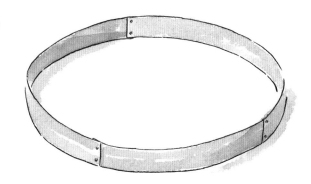

2 Percez des trous de 7 mm de diamètre à chaque bout de bande. Assemblez les trois sections de façon à former un rond, en superposant les trous. Passez les boulons au travers des trous et vissez. Cette bande joue le rôle de gabarit pour préparer votre plate-bande et de base pour le panier.

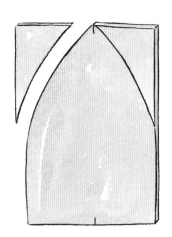

3 Pour faire le panier, coupez la baguette en 16 segments de 1 360 mm de long. Coupez avec une scie à métaux et utilisez un étau ou un serre-joint pour maintenir la baguette.

4 Pour arrondir la baguette, faites un patron sur du contreplaqué. Ce patron fera une base assez solide pour plier la baguette. Marquez un repère au centre de la planche et tracez deux arcs de cercle à 200 mm du bas. Cette section de l'arche reste droite. Découpez le patron à la scie sauteuse.

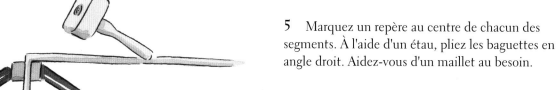

5 Marquez un repère au centre de chacun des segments. À l'aide d'un étau, pliez les baguettes en angle droit. Aidez-vous d'un maillet au besoin.

6 Placez l'angle de la baguette sur le sommet du patron et pliez la baguette de façon à lui faire épouser la forme. Elle doit dépasser le bas du patron de 100 mm.

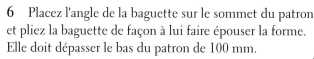

7 Chaque segment doit maintenant être courbé vers l'extérieur. Tournez les arches de côté et utilisez le patron pour vérifier que les courbes sont bien toutes pareilles.

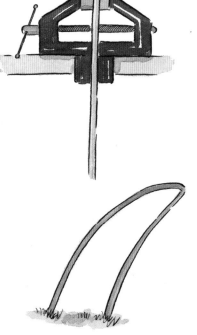

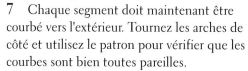

8 Avant d'assembler le panier, peignez tous les éléments en acier avec la peinture pour métal. Le bleu-gris utilisé ici donnera une teinte de cuivre patiné qui mettra en valeur la composition.

9 Choisissez un endroit plat pour votre plate-bande. Si cet endroit est couvert de gazon, placez l'anneau métallique dessus et coupez un cercle en suivant le bord intérieur de l'anneau. Enlevez l'anneau et divisez le cercle en carrés de gazon. Soulevez avec une pelle chaque carré de gazon. Retournez la terre et ajoutez du compost mature, puis remettez l'anneau en place, en l'enfonçant légèrement dans le sol.

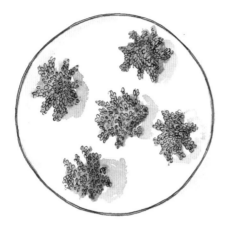

10 Plantez cinq rosiers comme sur l'illustration. Assurez-vous que la limite entre tige et racines est bien au niveau du sol. Fertilisez avec l'engrais pour rosier.

11 Insérez la première arche contre le bord intérieur de l'anneau, la pointe vers l'extérieur. Enfoncez l'arche à 150-200 mm de profondeur. Insérez la seconde arche à cheval sur la moitié de la première. Répétez l'opération pour toutes les autres arches, en suivant la circonférence de l'anneau. Il se peut que vous ayez à réajuster les intervalles pour obtenir une forme bien égale.

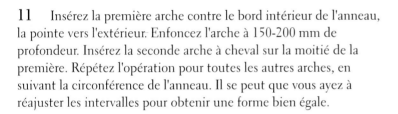

12 Liez les arches entre elles en entourant de fil de fer les points de croisement.

13 Taillez les rosiers de façon à former un dôme et coupez l'herbe autour de l'anneau pour souligner le volume de l'ensemble.

Autres sujets de plantation

Pour un panier de cette taille, prenez des roses 'White Pet' ou des 'Nozomi'. Pour un panier plus large, choisissez des 'Marguerite Hilling' ou sa sœur crème 'Nevada'.
Un *Camellia japonica* 'Alba Plena' arbustif peut aussi convenir.

Arche de roses

Les arches en tant que passage d'un endroit à un autre peuvent être très utiles dans un jardin, mais leur principal atout est d'être la structure parfaite pour une plante grimpante. Il n'est pas très difficile de construire soi-même une arche en bois, sinon vous pouvez trouver en kit une grande variété de formes en bois ou en métal. Ainsi n'importe quel jardin peut désormais profiter d'un passage accueillant de charmantes plantes grimpantes.

MATÉRIEL & ÉQUIPEMENT

Arche de jardin en bois ou en métal (voir étape 5, page 163)

1/2 seau de cailloux par trou

3 seaux de béton par trou

2 *Rosa* 'Adélaïde d'Orléans'

1 seau d'humus par pied

Attaches en fil de fer plastifié

Niveau à bulle

1 Si le site est à l'abri du vent, on peut se contenter de planter les pieds de l'arche à même la terre. En revanche, si le site est parfois venteux, les pieds doivent être solidement ancrés au sol de façon que l'arche ne tombe pas à la renverse sous l'effet combiné du vent et du poids des plantes. Vérifiez la profondeur de plantation des pieds recommandée par le fabricant.

2 Pour une arche large, creusez un trou par pied de 200 mm de côté sur une profondeur de 600 mm. Recouvrez le fond d'une épaisseur de cailloux de 150 mm puis enfoncez les pieds de 450 mm. Vérifiez la verticalité de l'arche puis renforcez l'ancrage avec du béton, puis de la terre pour les 50 derniers millimètres.

3 Avant de planter, passez une couche de vernis sur la structure métallique. Choisissez-en un qui ne soit pas toxique pour les végétaux. Plantez une plante grimpante, ici la promeneuse *Rosa* 'Adélaïde d'Orléans', de chaque côté de l'arche, et relativement loin des fondations. Faites passer les pousses du rosier sous l'arche, avec une canne si nécessaire, puis attachez-les à la structure.

4 Élaguez de la même manière qu'un rosier contre un mur (voir page 257), mais forcez les pousses à escalader l'arche plutôt que de les étaler en éventail. Attachez les pousses vagabondes mais ne laissez pas le rosier devenir trop touffu. Prenez soin d'enlever tout le bois mort.

Encadrer une porte de jardin

Marquer le haut d'un escalier

Former un passage au détour d'une allée

Autre utilisations

L'arche de roses est une « porte » romantique
et parfumée, séparant un endroit du jardin
d'un autre, et le plus généralement dressée
sur une allée. Elle peut aussi indiquer une
ouverture à travers un mur ou une haie
ou couronner le haut d'un escalier.
Mises bout à bout, plusieurs arches
peuvent avoir un effet de pergola.

5 Que vous achetiez
ou fabriquiez l'arche,
souvenez-vous qu'elle a
besoin d'être suffisamment
large pour qu'on puisse
encore passer au-dessous
lorsqu'elle sera couverte
de roses. Les fleurs peuvent
enlever jusqu'à 300 mm
de passage de tous les côtés
de l'arche.

Projets de plantations décoratives

Géométrie des parfums

La composition géométrique est l'une des formes les plus vieilles de décoration de jardin et elle est encore très appréciée de nos jours. L'agencement en haies peut certes avoir des résonances médiévales mais il a l'avantage de la clarté, surtout si les haies sont faites d'herbes aromatiques. Une fois terminé, le jardin géométrique peut durer très longtemps et, malgré une structure fixe, son contenu et ses couleurs peuvent varier au fil des saisons.

MATÉRIEL & ÉQUIPEMENT

5 tuteurs de 900 mm de long

5 attaches pour arbres

Sable (pour terre lourde)

Cordeau et piquets

Plantes variées

Compost mature

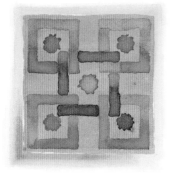

1 Réfléchissez à la composition avec soin, afin de lui donner la bonne échelle et les bonnes proportions. Pour cette raison, il est préférable de concevoir un plan d'abord sur du papier quadrillé avant de planter, peu importe la taille du jardin.

Ici, on a prévu des parties de 4 x 4 m. La concep[tion] peut être votre création propre ou bien provenir [d'un] jardin historique. Le motif peut être géométriqu[e ou] inclure des formes arrondies, comme le cachemi[re.] Les compositions les plus simples sont souvent l[es] plus efficaces. Les compositions plus complexes, quant à elles, ne prennent leur réelle valeur que lorsqu'elles sont admirées de plus haut, comme à l'étage d'une maison.

2 Préparez bien la terre en arrachant toutes les mauvaises herbes puis retournez-la en y ajoutant du compost mature. La santoline qui constitue les haies aime les sols sablonneux. Si nécessaire, ajoutez du sable pour faciliter le drainage.

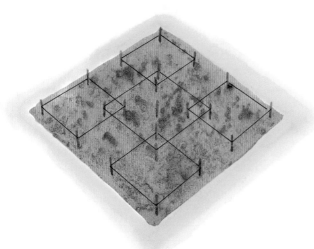

3 Déterminez la position des haies de santoline avec les piquets et le cordeau. Si votre composition contient des courbes, dessinez un quadrillage sur votre plan puis reproduisez-le sur le sol en utilisant des piquets et un cordeau. En vous guidant sur le quadrillage, dessinez les courbes avec en guise de marqueur un bouteille remplie de sable.

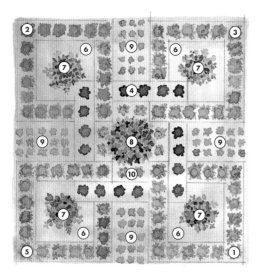

Schéma de plantation

1 *Santolina chamaecyparissus* 'Lambrook Silver' x 19
2 *S. pinnata neapolitana* x 19
3 *S. pinnata neapolitana* 'Sulphurea' x 19
4 *S. rosmarinifolia* x 16
5 *S. chamaecyparissus nana* x 19
6 *Viola* 'Jeannie Bellew' x 100
7 *Rosa* 'Fragrant Cloud' (semi-double) x 4
8 *Ilex aquifolium* 'Silver Queen' (simple) x 1
9 *Chamaemelum nobile* 'Treneague' x 60
10 *Nicotiana* 'Domino White' x 8

4 La composition des espaces clôturés par les haies est faite d'un mélange d'herbes hautes vivaces entouré d'une scène très changeante d'annuelles. Ici, les rosiers sont encerclés de pensées aux quatre coins de la composition, tandis qu'en son centre du tabac d'ornement entoure un houx et que des tapis de camomille emplissent les traverses.

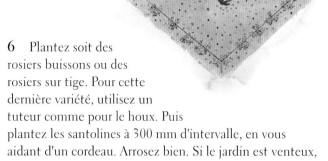

5   Plantez le houx central (*Ilex aquifolium*) au printemps avant d'installer les haies pour ne pas les endommager.
Creusez un grand trou et recouvrez le fond de compost. Attachez l'arbre à un tuteur avec une attache à environ 300 mm du sol.

6   Plantez soit des rosiers buissons ou des rosiers sur tige. Pour cette dernière variété, utilisez un tuteur comme pour le houx. Puis plantez les santolines à 300 mm d'intervalle, en vous aidant d'un cordeau. Arrosez bien. Si le jardin est venteux, tendez temporairement un brise-vent en plastique jusqu'à ce que les plantes soient bien enracinées. Une fois enracinée, la santoline est très coriace et résistera même aux coups de vents marins.

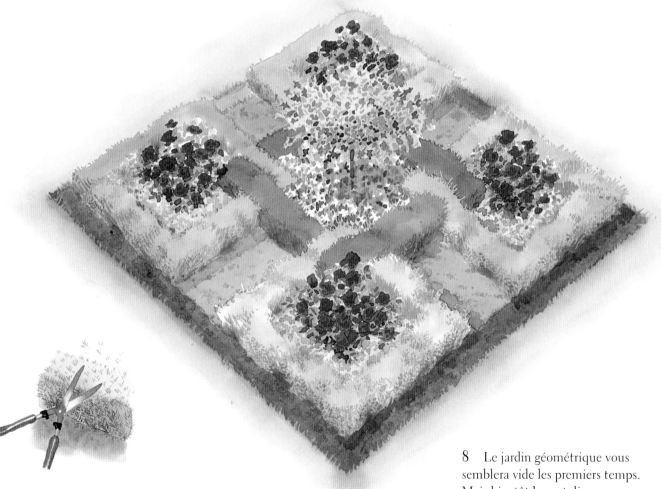

7   Taillez la santoline au printemps. Si vous n'aimez pas sa combinaison de fleurs jaunes et de feuilles argent, coupez les boutons de fleur avant qu'ils n'éclosent.

8   Le jardin géométrique vous semblera vide les premiers temps. Mais bientôt la santoline se transformera en une épaisse haie qui devra être taillée régulièrement. Enlevez toujours les plantes mortes ou mourantes, une plate-bande vide a plus d'allure qu'une plate-bande fatiguée ou agonisante.

169

Plantation de coin

Tous les jardins ont des coins farfelus, mais il existe de nombreuses manières d'en tirer parti, qui sont autant de trésors pour les jardiniers en mal d'espace. Utiliser les coins permet aussi de donner une unité au jardin. Même si recouvrir les coins de tapis végétaux reste la solution la plus courante, il est plus intéressant de créer quelque chose de simple comme cette élégante bordure.

MATÉRIEL & ÉQUIPEMENT

9 *Alchemilla alpina*

4 *Euphorbia stricta*

3 *Mimulus guttatus*

2 *Deschampsia flexuosa*

1 *Geranium pratense* 'Mrs Kendall Clark'

1 *Alchemilla conjuncta*

Gravier

1 Plutôt que de cacher les coins embarrassants avec des conteneurs, préparez de bonnes plates-bandes pour vos plantes. Cela demandera nettement moins de travail, surtout pour l'arrosage. Complétez avec du gravier, qui agira comme un paillis. Le gravier est un élément complémentaire des plantes et il permet aussi de bien asseoir la composition.

2 Si vous plantez près d'un mur, évitez de mettre de grandes plantes, car elles pourraient se plier vers l'avant, attirées par la lumière et poussées par le vent. Répartissez bien le gravier autour des plantes et enfoncez les pierres fermement dans le sol.

3 À la place du gravier, vous pouvez préférer daller l'espace et planter entre les dalles, comme une tapisserie végétale. Combinez de l'érigéron, de l'acaena, du thym et de la menthe, sachant que ces deux dernières sont des plantes aromatiques.

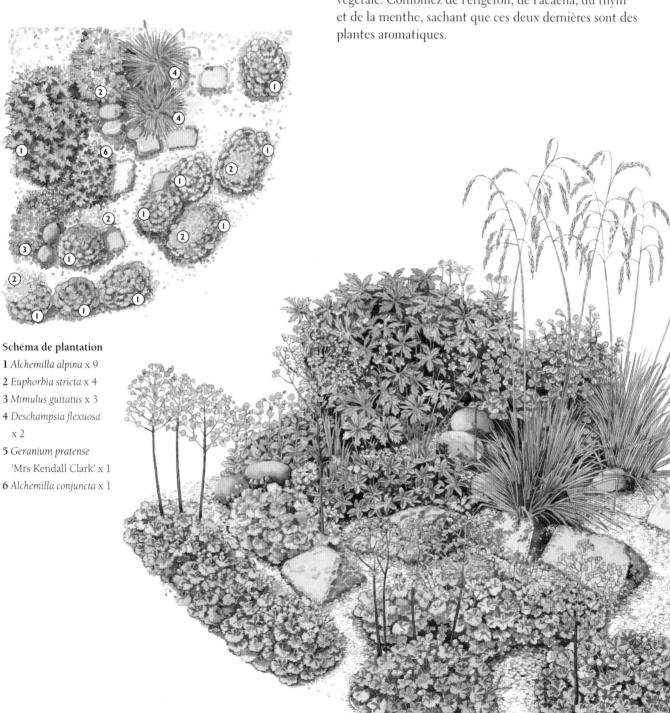

Schéma de plantation
1 *Alchemilla alpina* x 9
2 *Euphorbia stricta* x 4
3 *Mimulus guttatus* x 3
4 *Deschampsia flexuosa*
   x 2
5 *Geranium pratense*
   'Mrs Kendall Clark' x 1
6 *Alchemilla conjuncta* x 1

Autre possibilité : jardin de rocaille

1 Bien construite, bien plantée, la rocaille est une excellente solution à bien des coins ; elle demande une constante chasse aux mauvaises herbes, car une fois installées elles sont difficiles à arracher. Enterrez à moitié chacune des roches. Outre la solidité, les roches assurent aussi une température et une humidité constante aux racines. Agencez les roches en gradins, légèrement inclinés vers le bas.

3 Pendant la construction de la rocaille, ne soulevez jamais plus que ce vous pouvez soulever et protégez-vous les doigts. Procurez-vous de l'aide si nécessaire. Utilisez un levier pour déterrer les grosses roches, et faites-les rouler plutôt que de les soulever. Assurez-vous que toutes les roches soient intactes.

2 La rocaille est supposée ressembler à un saillie rocheuse, il vaut mieux donc faire des strates de roches, toutes inclinées vers le sol dans le même angle.

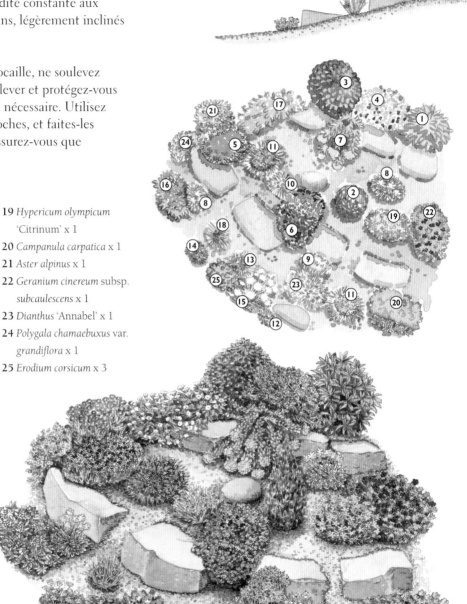

Autre schéma de plantation

1 *Daphne tangutica* x 1
2 *Juniperus communis* 'Compressa' x 1
3 *Picea mariana* 'Nana' x 1
4 *Helianthemum* 'Annabel' x 1
5 *Phlox douglasii* 'Crackerjack' x 1
6 *Aubrieta* 'Joy' x 1
7 *Euphorbia myrsinites* x 1
8 *Lewisia tweedyi* x 2
9 *Erinus alpinus* x 1
10 *Dianthus* 'Little Jock' x 1
11 *Rhodohypoxis baurii* x 2
12 *Armeria juniperifolia* x 1
13 *Pulsatilla vulgaris* x 1
14 *Androsace carnea* subsp. *laggeri* x 1
15 *Achillea clavennae* x 1
16 *Gentiana septemfida* x 1
17 *Convolvulus althaeoides* x 1
18 *Sisyrinchium idahoense* subsp. *bellum* x 1

19 *Hypericum olympicum* 'Citrinum' x 1
20 *Campanula carpatica* x 1
21 *Aster alpinus* x 1
22 *Geranium cinereum* subsp. *subcaulescens* x 1
23 *Dianthus* 'Annabel' x 1
24 *Polygala chamaebuxus* var. *grandiflora* x 1
25 *Erodium corsicum* x 3

4 La couverture de gravier va graduellement se mêler au sol et devra être remplacée au fur et à mesure. Protégez les plantes qui peuvent souffrir du froid avec des voiles en polyéthylène ou des cloches de verre mais laissez-les ouverts sur le côté pour permettre à l'air de circuler. Arrosez les alpines en cas de sécheresse. Taillez les plantes irrégulières.

Obélisque en pois de senteur

L'odeur particulière du pois de senteur semble être aimée de tous, sans doute parce qu'elle évoque l'enfance. Mais les pois de senteur ne sont seulement connus pour leurs attraits décoratifs et olfactifs, ils font aussi de très jolis bouquets. Ils sont faciles à faire pousser et peuvent être agencés de bien des manières : sur rames ou bien laissés libres d'envahir un buisson.

MATÉRIEL & ÉQUIPEMENT

Plateau à semis

4 tuteurs de 2,5 m

Ficelle de jardin

Graines de pois de senteur (*Lathyrus odoratus*)

Compost mature

1   Semez les graines au début du printemps dans un plateau à compartiments garni de terreau. Si vous utilisez un plateau en fibres, vous pourrez plus facilement prélever les plants sans abîmer les racines. Semez une graine par compartiment, arrosez et laissez au chaud, à l'abri des rayons du soleil. On peut aussi acheter directement des plants de pois de senteur, mais les élever à partir de la graine vous offrira un plus grand choix de couleurs et de parfums.

2   Repiquez les plants lorsqu'ils atteignent 100 mm de haut. Saisissez-les entre les premières feuilles et la tige, puis tirez doucement. Évitez d'acheter des plants trop maigres ou trop fournis et repérez toute trace d'infection ou de maladie.

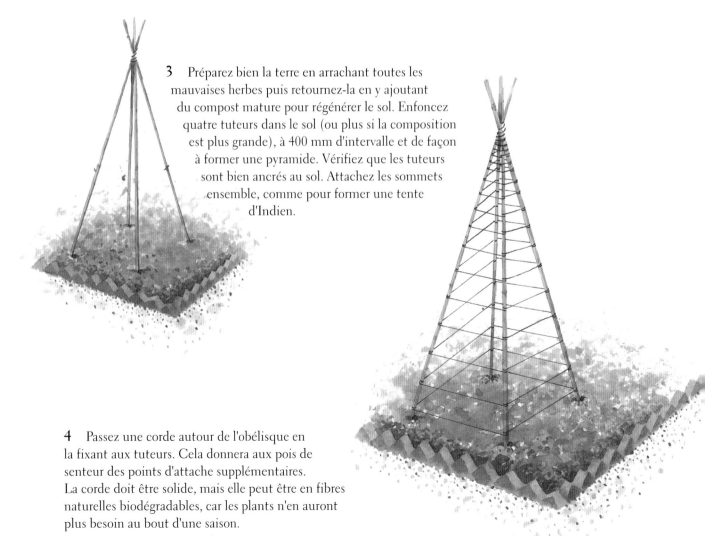

3   Préparez bien la terre en arrachant toutes les mauvaises herbes puis retournez-la en y ajoutant du compost mature pour régénérer le sol. Enfoncez quatre tuteurs dans le sol (ou plus si la composition est plus grande), à 400 mm d'intervalle et de façon à former une pyramide. Vérifiez que les tuteurs sont bien ancrés au sol. Attachez les sommets ensemble, comme pour former une tente d'Indien.

4   Passez une corde autour de l'obélisque en la fixant aux tuteurs. Cela donnera aux pois de senteur des points d'attache supplémentaires. La corde doit être solide, mais elle peut être en fibres naturelles biodégradables, car les plants n'en auront plus besoin au bout d'une saison.

5 Plantez les pois de senteur à 200 mm d'intervalle autour de la base de l'obélisque. Ils devront être attachés aux tuteurs avant de pouvoir se tenir droits seuls. Manipulez les jeunes pousses avec soin car elles peuvent se casser à cet âge. La sagesse recommande de mettre de l'anti-limaces une fois la plantation effectuée, sinon ces mollusques se feront un plaisir de dévorer les jeunes pousses.

6 Le pois de senteur fleurit de l'été à l'automne. La variété 'Old-fashioned' produit des fleurs bleues, rouges, roses et blanches à l'odeur très forte. Des cultivars plus récents existent dans presque tous les coloris. Les fleurs sont plus grosses et donc plus propices aux bouquets. Ne laissez pas les fleurs monter en graines. Coupez-les si elles fanent.

Autres formes de supports

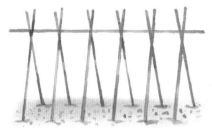

Mur de pois de senteur

L'obélisque n'est pas la seule forme proposée aux pois de senteur. Ils peuvent être disposés en « mur », si on place les tuteurs comme ci-dessus. Ils peuvent aussi être posés sur un treillage, un anneau en fil de fer, ou bien pousser à travers un buisson qui aura fleuri au printemps.

Plantation en pot

Les pois de senteur peuvent aussi être élevés en pot. Ils s'accommodent mieux des grands pots et doivent être aidés de tuteurs. Arrosez la plante au moins une fois par jour, et de deux à plusieurs fois par jour par temps chaud et sec. Donnez de l'engrais liquide toutes les deux semaines. Supprimez les fleurs mortes pour une meilleure floraison.

Porche de chèvrefeuille

L'odeur du chèvrefeuille est synonyme de campagne, de jardins de campagne et de rendez-vous galants. Elle est particulièrement plaisante le soir, à la nuit tombée. Un pavillon d'été ou un porche sont sans aucun doute les meilleurs endroits pour faire pousser du chèvrefeuille. L'odeur flotte à travers les portes ouvertes sur la brise nocturne.

MATÉRIEL & ÉQUIPEMENT

Fil de fer galvanisé

Pitons à vis

Chevilles

Blocs de bois (voir étape 4, page 180)

Compost mature

2 chèvrefeuilles (*Lonicera similis delavayi*)

Paillage d'écorce

Attaches en fil de fer

Tuteurs en bambou

Pince coupante

1 Nombreuses sont les maisons qui possèdent un porche ou une dépendance tel un garage ou un abri. Ces ajouts sont souvent récents et n'ont que très peu de rapport avec le caractère de la maison d'origine. Couvrir le bâtiment de chèvrefeuille, de roses, de jasmin ou de glycine, changera son apparence et parfumera le reste de la maison. Même des porches déjà jolis ne pourront que profiter d'un manteau de chèvrefeuille.

2 La meilleure façon de faire pousser une plante grimpante comme le chèvrefeuille est sans doute de lui faire suivre des cordes horizontales fixées au mur par intervalles de 450 mm. Chaque corde est tenue par des pitons qui sont vissés ou cloués à même le mur. Repliez et tordez la corde pour la rendre aussi droite que possible. On peut peindre les cordes et les pitons de la même couleur que le mur, de façon à les rendre moins visibles.

3 Le chèvrefeuille peut grimper sur le toit tout seul mais un support en fil de fer l'aidera à mieux résister au vent, surtout en période de pousse. Vissez des pitons sur les panneaux de toiture de chaque côté du porche, à 450 mm d'intervalle et tendez le fil de fer par-dessus le toit.

4 Intercalez des blocs de bois traité pour ne pas poser le fil directement sur le toit. Cela donne plus d'espace au chèvrefeuille et protège les tuiles. Ces blocs peuvent être fabriqués tout simplement en assemblant trois planches de bois en sandwich. La planche du milieu doit être légèrement plus épaisse que la tuile et légèrement creusée, de façon à pouvoir se fixer sur le bord de la tuile.

5 Ajoutez une bonne dose de compost mature à la terre car le chèvrefeuille n'aime pas avoir les pieds au sec. Cette matière végétale retient l'humidité mais draine l'excès de pluie. Arrachez toutes les mauvaises herbes.

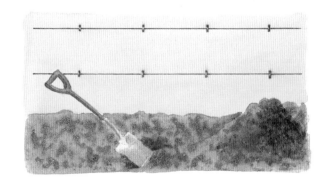

6 Plantez un pied de chèvrefeuille de chaque côté du porche. Creusez à une distance d'au moins 300 mm des murs. Le sommet de la motte de la plante doit être au niveau de la surface du sol. Arrosez bien et ajoutez un paillage d'écorce.

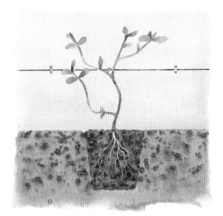

7 Guidez les pousses vers la corde en posant un tuteur entre la motte et le mur. Évitez d'endommager les racines lorsque vous enfoncez le tuteur. Attachez les pousses au tuteur, ou directement à la corde lorsqu'elles sont suffisamment grandes.

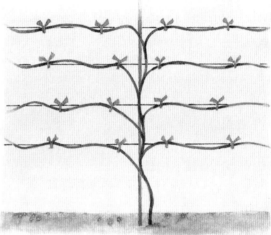

8 Placez les tiges en éventail de façon qu'elles couvrent toutes les cordes. Étalez les tiges de la base et toutes les autres de la même manière afin qu'elles couvrent tout le mur. Attachez-les avec du fil de fer.

9 Le chèvrefeuille n'a pas besoin d'être taillé. Il faut seulement enlever les éléments morts afin de l'alléger et de lui donner plus d'allure.

Rosier sur arbre

Rien de tel que la vue époustouflante d'une plante odorante grimpant le long d'un vieil arbre. Les meilleures grimpantes pour obtenir cet effet restent les rosiers lianes et le chèvrefeuille. Certaines espèces de clématites peuvent aussi convenir, bien que celles qui sentent le plus soient celles qui ont les plus petites fleurs, exception faite de *Clematis montana* qui pousse au printemps. Choisissez toujours un arbre solide et sain, ne prenez jamais un arbre mort, car il peut casser sans prévenir.

MATÉRIEL & ÉQUIPEMENT

Grosse corde

Bande en caoutchouc

Attaches

1 *Rosa* 'Félicité et Perpétue'

2 seaux de terre de jardin

Paillage d'écorce

1 Lorsque l'on fait pousser un rosier grimpant le long d'un arbre, il est important de l'aider jusqu'à ce que les pousses parviennent aux premières branches de l'arbre. Il y a de nombreuses manières de procéder, mais l'une des plus répandues consiste à utiliser un gros cordage. Attachez fermement, sans trop serrer, la corde à l'une des branches principales de l'arbre. Placez une bande en caoutchouc entre la corde et le bois, pour que son écorce ne s'effrite pas. Faites descendre la corde en spirale autour de l'arbre. Ne la serrez pas trop autour du tronc, pour qu'il puisse grandir sans que la corde pénètre l'écorce. Faites un nœud lâche autour de la base du tronc.

2 Plantez le rosier à environ 600 mm du pied de l'arbre. Creusez un trou, garnissez-le de terre de jardin et plantez le rosier à la même profondeur que lorsqu'il était dans son pot. Si les racines sont nues, plantez-le à la même profondeur que lorsqu'il était en terre (une ligne sur la tige vous en donne l'indication). Pendant les premiers mois de croissance, inclinez le rosier vers le tronc à l'aide d'un tuteur. Arrosez bien et ajoutez un paillage d'écorce ou de compost.

3 Guidez et attachez les pousses sur la corde. Continuez d'attacher les pousses au fur et mesure de leur croissance. Vérifiez régulièrement que la corde n'est pas en train d'irriter l'écorce. Taillez toutes les branches mortes du rosier et de temps en temps coupez les plus vieilles pour permettre à de nouvelles de pousser. Attachez ces jeunes pousses à la corde ou bien à d'autres pousses.

4   Le rosier finira par atteindre l'arbre et pourra tenir debout sans l'aide d'aucun support. De nouvelles tiges pousseront de la base vers l'épaisse masse de pousses. N'attachez que celles qui s'éloignent le plus du tronc. La corde peut être détachée ou laissée si elle ne gêne pas la croissance de l'arbre. Cela prendra plusieurs années avant que l'arbre ne soit complètement recouvert mais le résultat sera à la mesure de l'attente.

Autres supports de rosier

Support en éventail
Une façon d'aider le rosier à atteindre les premières branches de l'arbre consiste à enfoncer de longs tuteurs entre le sol et les branches.

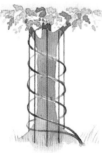

Cage de tuteurs
On peut aussi placer des tuteurs tout autour du tronc, à 150 mm environ de ce dernier, et guider les tiges du rosier autour de la « cage ». Assemblez les tuteurs avec des cercles de fil de fer.

Tronc visible
Pour que le tronc soit visible, faites pousser le rosier le long d'un seul tuteur placé à 600 mm de l'arbre. N'attachez rien de contraignant à l'arbre et n'enfoncez jamais de clous dans le tronc.

Allée parfumée

Des plates-bandes en bordure d'allée sont toujours les bienvenues car elles rapprochent le promeneur des plantes. Ces plates-bandes sont doublement gratifiantes lorsqu'elles sont parfumées car elles font alors autant appel à la vue qu'à l'odorat. Dans bien des cas, le parfum est libéré lorsque l'on frôle les plantes. La lavande et le romarin ont tous deux des arômes très puissants et très particuliers qui se répandent loin dans l'air, bien au-delà de l'allée.

CHOIX DE PLANTES

Feuillages parfumés	Fleurs parfumées	
Aloysia triphylla	Berberis	Lupinus
Artemisia	Choisya ternata	Matthiola
Lavandula	Convallaria majalis	Nicotiana
Mentha	Daphne	Osmanthus
Monarda didyma	Dianthus	Philadelphus
Myrtus communis	Erysimum	Reseda odorata
Origanum	Hesperis matronalis	Rhododendron (azalées)
Rosmarinus	Hyacinthus	Rosa
Salvia officinalis	Iris unguicularis	Sarcococca
	Lathyrus odoratus	Syringa
	Lilium	Viburnum
		Viola odorata

1   Les plantes parfumées apportent une dimension spéciale au jardin. De nombreuses plantes comme la lavande produisent un parfum merveilleux qui s'avère parfait pour une ambiance de relaxation. Si la lavande a été choisie pour ce projet, d'autres suggestions vous sont faites en page 186. Cette allée exquise mesure 7,5 x 2,5 m.

2   La plupart des allées de jardin sont suffisamment larges pour permettre à deux personnes de marcher de front ; prévoyez une largeur d'au moins 1,5 m. Les allées d'accès peuvent être moins larges, mais laissez tout de même assez d'espace pour y circuler avec une brouette. Ici, les plates-bandes sont suffisamment larges de chaque côté pour permettre à la lavande de pousser sans trop déborder sur l'allée. En règle générale, elles devraient faire en profondeur deux fois la taille des plantes les plus hautes.

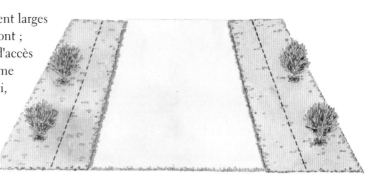

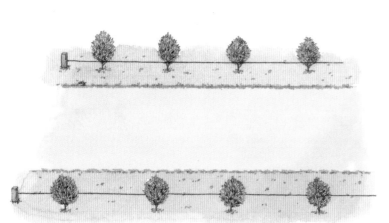

3   Tendez un cordeau pour vous guider. Plantez la lavande en ligne droite, chaque pied suffisamment proche de l'autre (environ 600 mm en tout sens) pour que les buissons puissent se mélanger une fois grands. Choisissez une variété de la même couleur pour plus de cohérence. Achetez des graines plutôt que des plants pour plus d'économie, mais la couleur peut alors varier. Plantez les buissons à la même profondeur que lorsqu'ils étaient dans leur pot. Aplanissez et arrosez. Si possible, faites un paillage pour retenir l'humidité et éloigner les mauvaises herbes.

4   La lavande se taille vers la fin de l'été. Enlevez toutes les fleurs et taillez environ 25 mm de la saison précédente. On obtient une haie basse légèrement ondulée.

Autre type d'allée

Dans les jardins de campagne, les plantes débordent souvent sur l'allée. Pour ce genre de plate-bande, l'espace doit être assez grand pour contenir la croissance des plantes sans gêner le passage des gens. Typiquement, on utilise le rosier de bordure pour ce type de composition, et tout spécialement les variétés anciennes.

Autres sujets de plantation

1 *Lupinius* 'Kayleigh Ann Savage' x *1*
2 Ciboulette x 3
3 *Dianthus* 'Haytor White' x *1*
4 Thym x 1
5 Sauge x 1
6 *Dianthus* 'Gran's Favourite' x 2
7 *Artemisia caucasica* x 1
8 *Alchemilla mollis* x 2
9 *Geranium sanguineum* 'Album' x 1
10 Menthe x 1
11 *Dianthus* 'Laced Monarch' x 1
12 *Tanacetum parthenium* 'Aureum' x 1

Topiaire aromatique

La transformation d'un arbuste aromatique en un élément décoratif comme la topiaire peut ordonner la structure d'une plate-bande établie ou devenir un point focal jouxtant une entrée ou un siège. Le romarin se laisse volontiers former en demi-tige. Ce Méditerranéen s'accommode bien de la terre cuite, mais un laurier-sauce, un myrte ou encore une herbe aromatique telle que la lavande peuvent faire une petite topiaire en boule.

MATÉRIEL & ÉQUIPEMENT

1 jeune plant de romarin élevé en pot (*Rosmarinus officinalis*)

1 pot en terre cuite de 280 mm de diamètre

1 l de terreau végétal

1 tuteur de 600 mm

Fil de fer galvanisé ou attaches plastifiées

1 petit sécateur ou 1 paire de cisailles

1 Choisissez un plant de romarin avec une seule tige bien rigide. Plantez avec du terreau dans le pot en terre cuite. Enfoncez le tuteur dans le pot, qui marquera la taille finale en demi-tige, et attachez la tige avec du fil de fer galvanisé ou un lien plastifié. Faites attention à l'écorce.

2 Coupez toutes les tiges latérales avec le petit sécateur ou les cisailles, afin de concentrer toute l'énergie de la plante sur la tige principale. Laissez un certain nombre de pousses au sommet de la tige de façon à alimenter la plante et à encourager une croissance vigoureuse sur la couronne.

3 La deuxième année, lorsque le plant de romarin a atteint une taille satisfaisante, à savoir 400 mm au-dessus de la terre, coupez le sommet de la tige principale. Cette coupe marquera la base de la couronne finale.

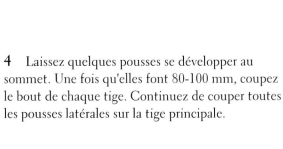

4 Laissez quelques pousses se développer au sommet. Une fois qu'elles font 80-100 mm, coupez le bout de chaque tige. Continuez de couper toutes les pousses latérales sur la tige principale.

5   Au printemps et en été, continuez de couper le bout des nouvelles pousses dès qu'elles font 80-100 mm afin de faire épaissir la tête. Vous pouvez conserver les chutes de romarin pour parfumer la maison.

6   Chaque année au printemps, ébarbez le romarin et taillez la couronne tout au long de la saison pour qu'elle ne soit pas trop grosse. Plantez des pensées (*Viola x wittrockiana*) au pied pour décorer le dessus du pot.

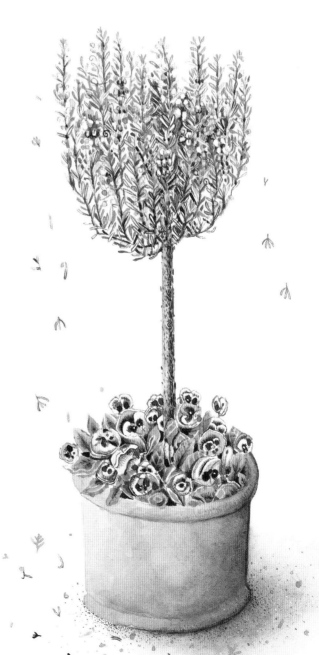

7   Arrosez régulièrement et consciencieusement, surtout par temps ensoleillé ou venteux. Pendant la saison de croissance, arrachez toutes les feuilles de la tige principale et donnez de l'engrais tous les quinze jours. Rentrez le pot l'hiver, sauf s'il a été traité contre le gel.

8   Au printemps, rempotez dans un pot plus large ou faites un surfaçage en ajoutant de l'engrais retard.

Projets de plantations comestibles

Paniers de tomates

Dans un petit jardin, chaque centimètre carré peut produire des légumes. On peut suspendre des paniers et des jardinières en hauteur, et en choisissant bien les plantes, ces conteneurs peuvent être à la fois décoratifs et productifs. Ici, des tomates cohabitent avec des fleurs et des herbes. Si l'espace le permet, on peut aussi planter d'autres légumes. Pour obtenir une composition impressionnante, grouper et pendre plusieurs paniers à différentes hauteurs.

MATÉRIEL & ÉQUIPEMENT

Pour chaque panier

Revêtement intérieur

Pitons et crochets galvanisés

Terreau

Engrais retard ou liquide

1 plant de tomate 'Tumbler'

2 *Petunia* 'Purple'

2 plectranthus panachés (*Plectranthus coleoides* 'Variegatus')

Cutter

1 Les paniers suspendus sont disponibles en plusieurs matériaux et formes. Ceux en fil de fer sont les plus légers et les moins chers, cependant, pour des raisons esthétiques, on leur préférera des paniers en fer forgé, terre cuite, osier ou bois. Déposez le revêtement au fond du panier avant de le remplir.

2 Le revêtement peut être en fibre, en carton, en mousse ou en polyéthylène (ce dernier peut être très laid s'il n'est pas totalement masqué par les plantes). Il doit être poreux pour ne pas poser de problème de drainage. Il est plus aisé de travailler en posant le panier sur un seau, surtout si le panier est plus lourd.

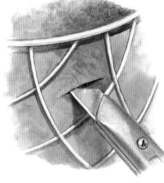

3 Les plus beaux paniers de légumes sont ceux qui foisonnent de plantes. Il faut donc que les côtés soient aussi fournis que le dessus. Faites des fentes au cutter dans le revêtement avant de verser le terreau. Les fentes doivent être suffisamment grandes pour faire passer les plantes au travers.

4 Remplissez le panier jusqu'aux fentes de compost. Enveloppez les racines des pétunias avec un papier humide pour les protéger, puis glissez les jeunes plants à travers les fentes, puis étalez leurs racines. Remplissez le reste du panier de terreau. Les pétunias sont très décoratifs mais si vous voulez, vous pouvez leur substituer une plante comestible comme la laitue.

5 Plantez les tomates au centre du panier. De cette façon, le plant retombera de tous les côtés. La variété 'Tumbler' a été spécialement conçue pour les paniers suspendus.

6 Les paniers de tomates doivent être suspendus dans un endroit chaud et ensoleillé. Si vous possédez une poutre apparente, vous pouvez y suspendre vos paniers. Un piton directement vissé dans le bois fera l'affaire, du moment que la poutre est solide et en bon état. Le panier peut être suspendu à n'importe quelle hauteur, mais son entretien est plus facile s'il est à portée de main. Généralement, les paniers ont plus d'allure lorsqu'ils sont au niveau des yeux ou un peu au-dessus.

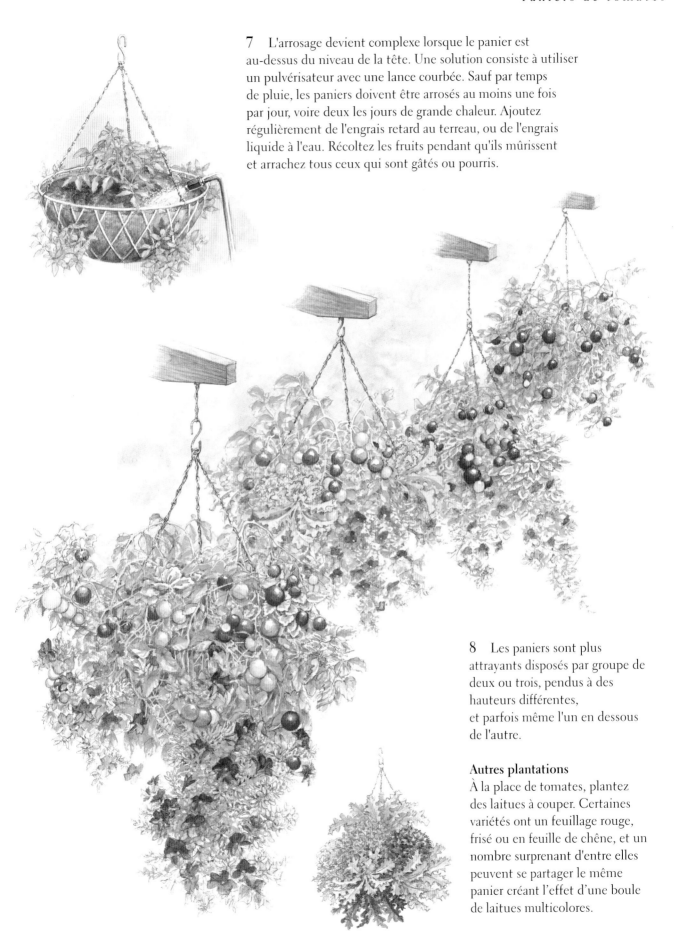

7 L'arrosage devient complexe lorsque le panier est au-dessus du niveau de la tête. Une solution consiste à utiliser un pulvérisateur avec une lance courbée. Sauf par temps de pluie, les paniers doivent être arrosés au moins une fois par jour, voire deux les jours de grande chaleur. Ajoutez régulièrement de l'engrais retard au terreau, ou de l'engrais liquide à l'eau. Récoltez les fruits pendant qu'ils mûrissent et arrachez tous ceux qui sont gâtés ou pourris.

8 Les paniers sont plus attrayants disposés par groupe de deux ou trois, pendus à des hauteurs différentes, et parfois même l'un en dessous de l'autre.

Autres plantations
À la place de tomates, plantez des laitues à couper. Certaines variétés ont un feuillage rouge, frisé ou en feuille de chêne, et un nombre surprenant d'entre elles peuvent se partager le même panier créant l'effet d'une boule de laitues multicolores.

199

Pots de piments rouges

Les pots de piments rouges sont impressionnants. Il en existe de nombreuses variétés qui produisent des fruits jaunes, oranges, rouges ou pourpres avec des feuillages de différentes tailles. Le piment croît lentement dans un climat tempéré, mais les premiers fruits apparaissent au bout de 15 semaines. Ils sont tout d'abord verts puis rougissent et deviennent de plus en plus forts à mesure de leur mûrissement.

MATÉRIEL & ÉQUIPEMENT

Plateau à semis

Engrais

Pots de 75 mm pour les jeunes plants

Grands pots en terre cuite

Tessons d'argile

Terreau

Différentes espèces de piments en plants ou en graines

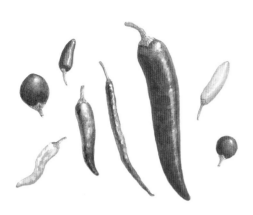

1 Les piments sont des plantes vivaces ramifiées. Leur taille et leur forme varient selon l'espèce et peuvent aller jusqu'à 1,5 m de hauteur. Le piment ne supporte pas le froid, il doit hiverner en serre ou dans une véranda jusqu'à ce que toute menace de gel soit écartée.

2 Si vous ne trouvez pas de jeunes plants, vous pouvez faire pousser des graines, plus faciles à se procurer. Semez dans un plateau à semis vers le début du printemps et gardez le plateau au chaud ou dans un germoir à environ 21 °C. Ne laissez pas le substrat s'assécher. L'arrosage ne devrait pas être nécessaire si vous utilisez un germoir.

3 Lorsqu'elles sont suffisamment grandes pour être manipulées, repiquez les plantules en pots individuels et gardez ces derniers bien au chaud. Évitez de placer les pots dans un courant d'air et méfiez-vous du froid.

4 Les pots en terre cuite sont parfaits pour faire pousser du piment. Néanmoins, prenez des pots de moins de 450 mm de diamètre pour qu'ils restent assez légers pour être rentrés à la saison froide. Les pots doivent être troués au fond pour permettre le drainage.

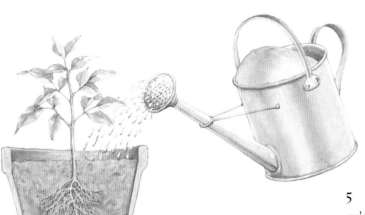

5 Installez les plantes dans leur pot définitif une fois qu'elles font 100 mm de haut. Recouvrez le fond de tessons d'argile ou de pierres, puis de terreau, puis plantez les piments. Arrosez bien. Prenez soin de mettre les grands pots à leur place définitive avant de les remplir. Le terreau humide ajoute énormément de poids à l'ensemble.

6 Lorsqu'ils atteignent 150 mm de hauteur, taillez les plants pour les faire ramifier. Les piments préfèrent être installés contre un mur orienté au sud, en situation abritée. Ce mur les réchauffera la nuit en irradiant la chaleur emmagasinée le jour. Si la température baisse en dessous de 18 °C, rentrez les plantes. On peut cultiver du poivron à la place, car il supporte mieux les températures fraîches.

7 Si les plants font à peu près la même taille, vous pouvez les disposer à différentes hauteurs sur une marche ou des pots retournés. Cela leur donnera plus d'allure et permettra aux plantes du fond de recevoir plus de lumière. Arrosez tous les jours, et même deux fois par jour lorsqu'il fait très chaud. Lorsque les fruits commencent à gonfler, ajoutez un engrais liquide riche en potasse tous les dix jours.

8 Récoltez le piment lorsqu'il est suffisamment gros. Il peut être cueilli encore vert, lorsqu'il est le plus doux, ou lorsqu'il est le plus fort, à savoir à sa couleur finale (rouge, jaune ou pourpre). Cueillez le piment avec sa queue. Récoltez tous les piments et rentrez les plantes avant les premières gelées.

Patio potager

Des pots ordinaires en terre cuite, des pots à fraisiers, des demi-tonneaux ou des sacs de jardin peuvent transformer le plus petit des patios en un jardin potager capable de produire des légumes, des fruits ou des herbes de grande qualité. Bien conçu, un jardin potager peut être un atout esthétique à lui seul. On peut littéralement y faire pousser n'importe quel fruit ou légume, mais on évitera les espèces rampantes, pour des raisons évidentes.

MATÉRIEL & ÉQUIPEMENT

Divers pots en terre cuite

Terreau

Tessons d'argile ou cailloux

Tuyau en plastique de 600 x 25 mm

Espèces variées

Pioche

1   Il y a de nombreux moyens de planter un patio dallé d'espèces potagères. Les pots en terre cuite, les pots à fraisiers sont polyvalents et bien drainés. Des moitiés de tonneaux peuvent faire de grands conteneurs et quantité de légumes se développent très bien dans des sacs de jardin. Il vaut mieux planter les tapissantes à même le sol, en enlevant une dalle à l'aide d'une pioche.

2   Retirez tous les débris et le sable sous la dalle. Brisez la terre et mélangez avec de la terre fraîche ou du terreau. Plantez des tapissantes telles que du thym ou de l'origan, et arrosez bien.

3   La plupart des légumes s'accommodent bien des pots, même des petits. Recouvrez le fond de tessons d'argile et complétez de terreau bien frais. Semez à la surface et recouvrez d'une fine couche de terreau. Couvrez le pot avec un filet pour empêcher les oiseaux et les animaux d'endommager le semis.

4   Parmi les pots à fraisiers, le plus élégant reste la tour en terre cuite, à petits orifices de plantation sur le côté en plus du dessus. On peut aussi trouver de tels pots en plastique.

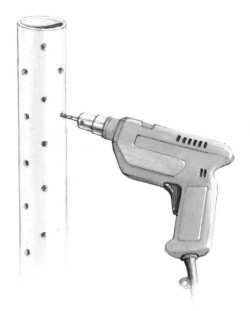

5   Les grands pots à fraisiers sont difficiles à arroser jusqu'au fond. Mais il existe un moyen tout simple pour bien les irriguer : achetez un tuyau en plastique de 50 mm de diamètre (un drain en plastique suffit). Percez des séries de trois trous de 3 mm autour du tuyau, répétées à 50 mm d'intervalle sur toute sa longueur.

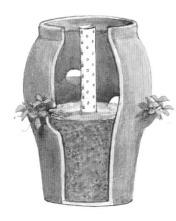

6 Placez le tuyau au centre du pot. Mettez du terreau jusqu'à la première ouverture. Glissez les racines du fraisier dedans et continuez de'remplir jusqu'au prochain orifice. Plantez des fraisiers jusqu'à ce que le pot en soit plein.

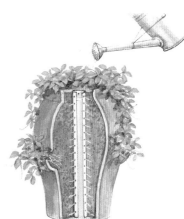

7 Remplissez le tuyau d'eau et arrosez la surface du pot. Si le bout du tuyau n'est pas en contact direct avec le fond du pot, il se peut que l'eau s'échappe trop rapidement. Dans ce cas, ralentissez son débit en enfonçant une boule de polyéthylène au fond du tube. Cela freinera suffisamment l'écoulement pour que l'eau ait le temps de traverser les trous. Arrosez régulièrement pour que le substrat ne s'assèche jamais.

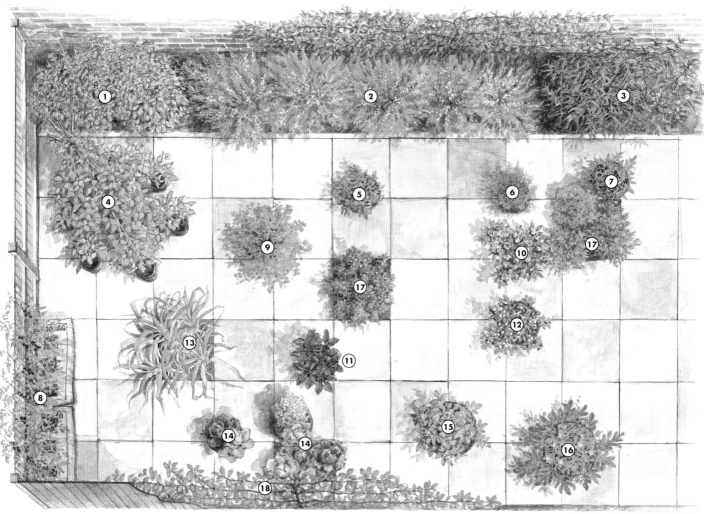

8 Arrosez les pots une fois par jour et donnez de l'engrais liquide une fois par semaine. Gardez les plantes propres et enlevez tous les éléments malades dès leur apparition. Récoltez les fruits et les légumes à la bonne époque. Évitez de laisser les produits trop mûrs ou pourris sur les plantes.

Schéma de plantation

1 Citronnelle	5 Sauge	10 Rosier nain	15 Pomme de terre
2 Romarin	6 Carotte	11 Betterave	16 Courgette
3 Verveine	7 Tomate buisson	12 Fraisier	17 Origan
odorante	8 Tomate grappe	13 Poireau	18 Poirier
4 Mange-tout	9 Groseillier	14 Laitue	

Pots de fruitiers

Le fruit va souvent de pair avec un gros buisson ou un arbre énorme, mais la plupart des espèces ont une forme naine qu'on peut élever en conteneur, à tel point qu'un pommier peut très bien pousser sur un patio. Ce sont néanmoins les fruitiers exotiques tels que l'oranger ou le citronnier qui s'accommodent le mieux de ce traitement, sans doute parce que ce sont ceux qui sont les plus faciles à soigner tant qu'on peut les déplacer, et aussi parce qu'ils sont très esthétiques.

MATÉRIEL & ÉQUIPEMENT

Pots en terre cuite

Cailloux pour le drainage

Terreau

Jeunes arbres fruitiers et jeunes plantes (voir page 211)

1 Les pots doivent être choisis en fonction de leur commodité et de leur esthétique. Même si ceux en plastique sont plus légers, ils sont aussi plus faciles à noyer et protègent moins les racines du froid en hiver. Les pots en terre cuite valorisent les fruitiers méditerranéens choisis pour ce projet. Ils sont plus frais en été et plus chauds en hiver. Il sont aussi plus lourds que les pots en plastique et donc sont moins susceptibles d'être renversés par le vent. Cependant, ils sont moins faciles à déplacer lorsqu'ils sont pleins de terre.

2 Recouvrez le fond des pots de cailloux pour assurer un bon drainage. Remplissez les pots partiellement de terreau, plantez et comblez les pots. Aplanissez et arrosez.

3 La plupart des fruitiers exotiques ont besoin de protection l'hiver, en revanche, l'été, ils peuvent être mis dehors, de préférence contre un mur orienté au sud. Un coin est encore mieux : non seulement il fait un bon arrière-plan, mais il restitue la nuit la chaleur de la journée. Évitez les endroits trop à l'ombre ainsi que ceux où les courants d'air sont fréquents. Les conteneurs doivent être arrosés une fois par jour et au moins deux fois les jours de grande chaleur ou par vent très sec. Ajoutez un engrais liquide à l'eau une fois par mois.

4 Les plantes de ce projet sont vivaces et ont donc besoin d'être rempotées tous les ans dans des pots plus grands, jusqu'à ce qu'elles atteignent leur taille maximum. Sortez les plantes de leur pot d'origine et faites tomber l'excès de terre de la motte en la secouant. Les racines peuvent être taillées lorsque les plantes approchent de leur taille maximum. Rempotez une taille au-dessus avec du terreau frais puis arrosez.

5 Dans les climats tempérés, les orangers et les citronniers sont élevés à des fins purement esthétiques ; ils ne donneront des fruits que s'ils reçoivent suffisamment de chaleur. Pour augmenter les chances d'avoir des fruits, donnez-leur plus de chaleur en les installant dans une serre ou une véranda. Ici, nous avons ajouté des plantes plus petites pour remplir l'espace, ainsi que des grimpantes pour servir de toile de fond.

Schéma de plantation

1 Oranger d'intérieur
 (*Citrofortunella microcarpa*)
2 Prunier du Natal
 (*Carissa grandiflora*)
3 Citrons Meyer
 (*Citrus meyeri* 'Meyer')

4 Citronnier
 (*Citrus limon* 'Variegata')
5 Assortiments de plantes
 rampantes
6 Romarin
 (*Rosmarinus officinalis*)
7 Glycine du Japon
 (*Wisteria floribunda*)

6 La plupart des arbres et arbustes exotiques ne supportent pas le froid et ont donc besoin d'être protégés l'hiver. Une serre chauffée ou une véranda sont les endroits idéaux. Les plantes doivent rester enfermées jusqu'à ce que tout risque de gel soit écarté. La température extérieure doit atteindre 20 °C. Attention à ne pas trop arroser l'hiver, gardez la terre à peine humide.

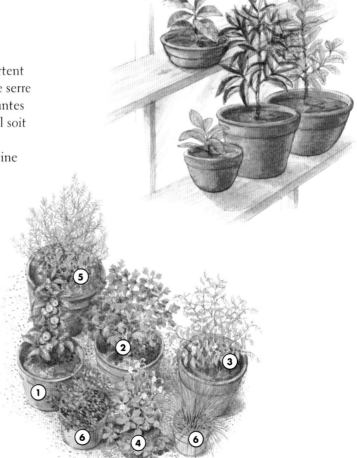

Autre schéma de plantation

Les fruits moins exotiques sont plus résistants et peuvent rester dehors tant que leur pot ne gèle pas complètement. Posez des voiles d'hivernage sur les plantes lorsque la météo annonce du froid, et retirez-les s'il commence à faire chaud.

1 Pommier colonnaire
2 Groseillier
3 Myrtillier
4 Fraisier
5 Romarin
6 Assortiment de plantes rampantes

Demi-tonneau culinaire

Ces demi-tonneaux sont parfaits pour accueillir une sélection d'herbes dans le plus petit des jardins, une minuscule cour ou encore un balcon. La composition proposée ici vous offre non seulement un « paysage » attrayant, mais aussi des produits frais pour la cuisine. Vous pouvez aussi cultiver d'autres herbes culinaires telles que la bourrache, l'aneth ou le cumin.

MATÉRIEL & ÉQUIPEMENT

3 demi-tonneaux de 300 mm, 475 mm et 600 mm de diamètre

Peinture d'apprêt gris-noir pour métal

1 l de peinture mate vert foncé

180 de terreau végétal

Pots en plastique

Herbes culinaires en pot

1   Choisissez trois demi-tonneaux identiques de diamètres différents. Passez une couche d'apprêt sur les cerclages en métal puis peignez la totalité du tonneau en vert foncé. La peinture devrait résister aux intempéries un certain temps, mais si elle commence à se craqueler, repassez une couche.

2   S'ils n'y sont pas déjà, percez trois trous d'évacuation de 25 mm de diamètre à la base des tonneaux.

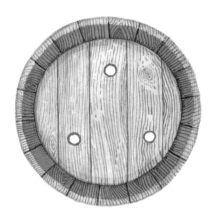

3   Suivez le schéma de plantation correspondant à la taille de chaque tonneau. Dépotez les herbes et installez les plus grandes de façon que le dessus de leur motte soit à 25 mm du haut de la cuve. Rajoutez du terreau et plantez les petites herbes de la même manière.

Petit tonneau

Thym
(*Thymus vulgaris aurea*)
x 2, en pots de 130 mm

Orpin âcre
(*Sedum acre*) x 5 ,en pots de 80 mm

Tonneau moyen

Fenouil
(*Foeniculum vulgare* 'Purpureum')
x 3, en pots de 80 mm

Persil plat
(*Petroselinum crispum*
'Italian') x 1, en pot de
80 mm

Sauge pourpre
(*Salvia officinalis*
Purpurascens Group)
x 1, en pot de 130 mm

Sauge pourpre
(*Salvia officinalis*
Purpurascens Group)
x 1, en pot
de 130 mm

Thym citron
(*Thymus x citriodorus*
'Archer's Gold')
x 1, en pot de 130 mm

Thym blanc
(*Thymus vulgaris albus*)
x 1, en pot de 130 mm

Persil plat
(*Petroselinum crispum*
'Italian') x 1, en pot
de 80 mm

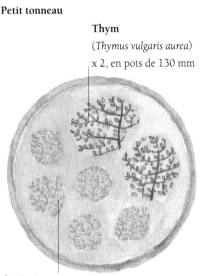

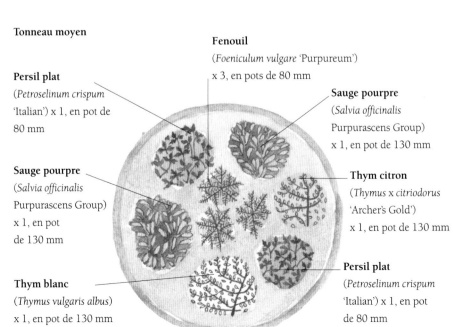

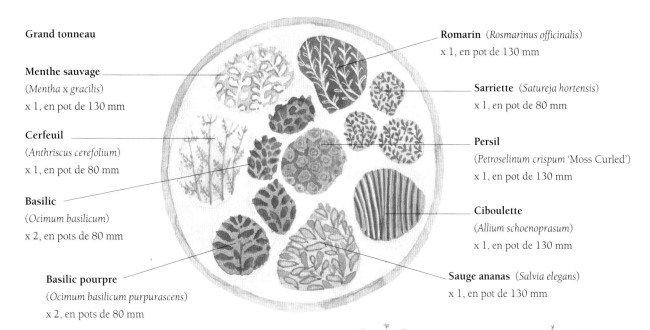

Grand tonneau

Menthe sauvage ———
(*Mentha* x *gracilis*)
x 1, en pot de 130 mm

Cerfeuil ———
(*Anthriscus cerefolium*)
x 1, en pot de 80 mm

Basilic
(*Ocimum basilicum*)
x 2, en pots de 80 mm

Basilic pourpre
(*Ocimum basilicum purpurascens*)
x 2, en pots de 80 mm

Romarin (*Rosmarinus officinalis*)
x 1, en pot de 130 mm

Sarriette (*Satureja hortensis*)
x 1, en pot de 80 mm

Persil
(*Petroselinum crispum* 'Moss Curled')
x 1, en pot de 130 mm

Ciboulette
(*Allium schoenoprasum*)
x 1, en pot de 130 mm

Sauge ananas (*Salvia elegans*)
x 1, en pot de 130 mm

4   Taillez la sauge pourpre chaque automne
et remplacez le persil une ou deux fois par an,
afin que les herbes ne soient pas trop grandes.
Remplacez le basilic tous les ans, une fois tout
risque de gelées écarté. Semez le cerfeuil deux
fois par an si vous souhaitez en avoir l'hiver.
L'orpin âcre doit être gardé au sec.

Autres sujets de plantation
On peut planter d'autres herbes dans ces trois
tonneaux. Le plus petit peut accueillir des soucis
(*Calendula officinalis*) et des pensées tricolores
(*Viola tricolor*), et le moyen, du laurier (*Laurus
nobilis* 'Aurea'). Faire grimper des capucines
ou du houblon (*Humulus lupulus*) sur des rames
en bambou est une excellente manière d'ajouter
de la hauteur à une composition.

Bordure comestible

La plupart des produits de la cuisine proviennent d'un potager ou d'un jardin réservé à cet effet.
Cependant, nombreux sont ceux qui peuvent être cultivés au milieu de plantes d'ornement.
Tout comme certaines fleurs peuvent être mangées ou embellir un plat, certains légumes sont
si esthétiques qu'ils méritent une place dans les massifs. Une bordure à vocation culinaire
peut être à la fois très gratifiante et pratique en termes d'espace économisé dans un petit jardin.

PLANTES UTILISÉES

60 *Atriplex hortensis 'Rubra'* (arroche rouge)

30 *Calendula officinalis* (souci)

6 *Cynara cardunculus* (cardon)

20 *Helianthus annuus* (tournesol)

8 *Hemerocallis* (hémérocalle)

1 La présence inattendue de légumes décoratifs au milieu d'une bordure de fleurs peut rajeunir une composition traditionnelle. La terre est préparée de la même manière que pour n'importe quelle autre bordure, la manière de planter et l'entretien restent les mêmes. Les plates-bandes de ce projet mesurent 6 x 1,8 m. Toutes les plantes comestibles de ce projet peuvent accompagner une salade. Les boutons d'hémérocalle, quant à eux, peuvent être coupés et frits.

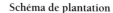

Schéma de plantation

1 *Atriplex hortensis* 'Rubra' (arroche rouge : les jeunes feuilles sont comestibles) x 60

2 *Calendula officinalis* (souci : fleurs comestibles) x 30

3 *Cynara cardunculus* (cardon : branches étiolées comestibles) x 6

4 *Helianthus annuus* (tournesol : graines comestibles) x 20

5 *Hemerocallis* (hémérocalle : boutons comestibles) x 8

2 Puisque la récolte ne concerne qu'une partie de la plante, essayez de prélever sur une plante différente chaque fois, de façon à leur laisser le temps de repousser et à ne pas déséquilibrer la plate-bande.

3 Toutes les plantes de jardin ne sont pas comestibles. Ne prenez que celles connues comme telles.

Autres plantes comestibles

La liste des plantes comestibles ou en partie comestibles est très longue. En voici une retenant les plantes les plus intéressantes tant en termes d'esthétique que de valeur culinaire. La partie comestible la moins connue de certains légumes pourtant populaires est indiquée entre parenthèses.

Légumes

Carotte (feuillage)
Blette (feuillage)
Tomate (fruit)
Pois (fleur et fruit)
Maïs (feuillage)
Laitue (feuillage pourpre)

Plantes à fleurs

Mentha (menthe : feuille)
Viola odorata
   (violette odorante : fleur)
Tropaeolum majus
   (capucine : fleur)
Thymus (thym : feuille)
Borago officinalis
   (bourrache : fleur)
Rosa (rose : pétale)
Rosmarinus officinalis
   (romarin : fleur, feuille)

Plantation sur une pergola

1   Une pergola, qu'elle soit en bois ou en métal, peut compléter une allée de plates-bandes. Utilisez pour celle-ci des plantes comestibles.

2   Une pergola à cheval sur une allée (à gauche) permet d'ajouter des légumes ou des fruits. L'effet obtenu est celui d'une avenue de produits sur laquelle on peut se promener à l'ombre. Pour une plantation temporaire, choisissez des mange-touts, des haricots verts, des courges ou des courgettes. Pour une plantation plus durable, plantez de la vigne (à droite), des pommiers ou des poiriers, ou bien une combinaison des deux (ci-dessus). Agencez les plantes grimpantes autour de l'arche. Éclaircissez pour plus d'esthétique et aussi pour permettre à la lumière d'atteindre les plates-bandes.

Planches de salades

Tous les légumes sont meilleurs frais, en particulier la salade, qui offre toute sa saveur
et son croustillant quand elle est juste cueillie. Cultiver sa propre salade est très gratifiant
et vous permet d'en prélever la quantité voulue. Vous pouvez ainsi combiner plusieurs
variétés de laitues dans une seule salade d'une façon bien plus économique
que s'il s'agissait d'une salade mixte toute faite.

MATÉRIEL & ÉQUIPEMENT

Cordeau et piquets

Graines de diverses variétés de salades

Compost mature

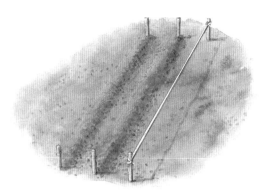

1 Bêchez la terre et ajoutez du compost mature. À l'aide d'un cordeau et de piquets, tracez les rangs de salades en tenant compte de leur taille à maturité et en laissant une marge de 300 mm entre deux rangs.

2 À l'aide d'une binette, creusez un sillon le long des rangs. Semez les graines le long de ce sillon, recouvrez, aplanissez légèrement et arrosez. Si la terre est très humide, mélangez les sillons avec du sable sec avant de semer. Si la terre est très sèche, arrosez le sillon avant de semer et enfoncez légèrement les graines dans le sol.

3 Même si elles ont été semées avec parcimonie, le rang de salades devra être éclairci. Lorsque les salades sont suffisamment grosses, arracher environ un plant sur deux, de façon à ménager assez d'espace entre deux plants (c'est-à-dire le diamètre d'une salade arrivée à maturité, soit 300 mm environ). La salade se porte mieux si sa croissance est continue ; toute interruption aura des conséquences sur sa taille et son goût. Arrosez souvent lorsqu'il fait sec. La meilleure méthode est d'arroser les rangs un à un, à l'arrosoir, jusqu'à ce que le sol soit bien humide.

4 On mange de la salade toute l'année. Si toutes les laitues sont plantées au même moment, elles seront récoltées au même moment et tout devra être mangé dans les quinze jours. Plutôt que de planter un rang entier d'un coup, il vaut mieux planter un demi-rang toutes les deux semaines. Car nombreuses sont les laitues qui, lorsqu'elles sont coupées à la base, peuvent encore donner deux ou trois récoltes, ce qui est très commode quand on ne dispose que d'un espace limité.

5 La récolte de la salade laisse des rangs troués derrière elle. Pour optimiser ces trous au mieux, on peut y planter des radis. Les radis poussent assez vite et peuvent être consommés dans les 3-4 semaines après la plantation.

6 La limace est sans doute le plus grand ennemi de la salade. Le meilleur moyen de s'en débarrasser est d'installer un piège à limaces – un récipient enfoncé dans le sol contenant un fond de bière (elles l'adorent). On peut aussi les enlever de la salade la nuit, période où elles sont le plus actives.

Comment planter du céleri
Faites un mélange de terre et de fumier – le céleri demande beaucoup de nitrogène. Faites pousser les jeunes plants en serre, puis transplantez-les au printemps dans une petite tranchée.

7 Binez autour de chaque plant et arrachez les mauvaises herbes. En général, les légumes ne se conservent pas. La purée de tomates peut être congelée, et le céleri peut être laissé en terre jusqu'au dernier moment.

Comment étioler le céleri
Lorsque le céleri fera 300 mm de haut, enveloppez les tiges dans du carton ondulé en laissant les feuilles à l'air libre. Remplissez la tranchée avec de la terre et ramener cette dernière en butte autour de la « manche » en carton.

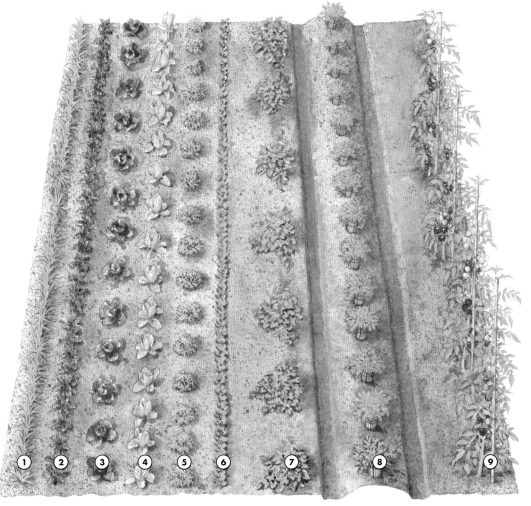

Schéma de plantation
1 Oignon de printemps
2 Betterave
3 Chicorée rouge
4 Romaine
5 Laitue
6 Radis
7 Concombre
8 Céleri
9 Tomate (tuteurée, pas en buisson)

Planches de fraises

Bien que les supermarchés proposent des fraises presque toute l'année, leur goût n'a aucun rapport avec celles qui sont directement cueillies sur la plante. Les plants de fraisiers sont relativement peu chers, faciles à faire pousser et ils sont aussi beaux en plate-bande qu'en conteneur. En sélectionnant minutieusement plusieurs variétés, on peut avoir des fraises de la fin du printemps jusqu'à l'automne.

MATÉRIEL & ÉQUIPEMENT

Cordeau et piquets

Paillis (en paille)

Poteaux, pots de fleurs, filet

7 *Buxus sempervirens* 'Suffruticosa' par mètre de haie

5 plants de fraisiers par 2 m de rang

2-3 seaux de compost mature par mètre carré

1 Délimitez un lopin avec les piquets et le cordeau. Une surface de 4,5 x 3 m donnera une récolte généreuse.

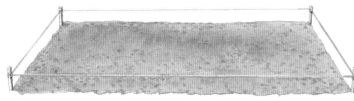

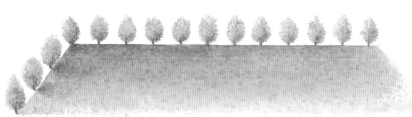

2 Une plate-bande de fraisiers est plus jolie lorsqu'elle est entourée par une petite haie ou par des planches en bois. Plantez de jeunes plants de buis au printemps à environ 150 mm d'intervalle. Préférez une variété naine telle que *Buxus sempervirens* 'Suffruticosa'. Taillez le haut de la plante pour qu'elle s'étoffe plus vite, mais cela prendra quand même quelques années. Élaguez régulièrement pour garder la haie à la bonne taille.

3 Préparez bien la terre en arrachant toutes les mauvaises herbes. Retournez-la et ajoutez-lui une bonne dose de compost mature. Achetez des plants de fraisier sains à la fin de l'été. Installez les plants à 400 mm d'intervalle, en rangs espacés de 600 mm. Arrosez bien et continuez d'arroser jusqu'à ce que les plants soient bien enracinés.

4 À la fin du printemps, au moment où le fruit commence à grossir, paillez les plantes jusqu'au pied. Ainsi, le fruit n'entrera jamais en contact avec le sol. On peut préférer du polyéthylène noir à la paille.

Enclos en bois

Un enclos de plate-bande en bois embellit non seulement la composition mais est aussi nettement plus facile à faire qu'une haie, fût-elle naine. On peut remplir la plate-bande avec un mélange de compost mature et de tourbe. Cette combinaison fera un bon substrat pour les fraises. Les planches ont aussi l'avantage d'empêcher la paille de s'envoler.

Enclos tressé

Une alternative à l'enclos en bois consiste à prendre des panneaux en noisetier de 50 mm de long. Enfoncez des piquets dans le sol puis clouez les panneaux bord à bord. On trouve aussi ces petits enclos tressés dans le commerce.

5 Lorsque les fruits mûrissent au printemps, ils deviennent des mets de choix pour les oiseaux. Pour protéger les fraises, enfoncez des petits poteaux dans le sol, coiffés d'un pot retourné, puis tendez un filet par-dessus les poteaux. Lestez les bords avec des briques.

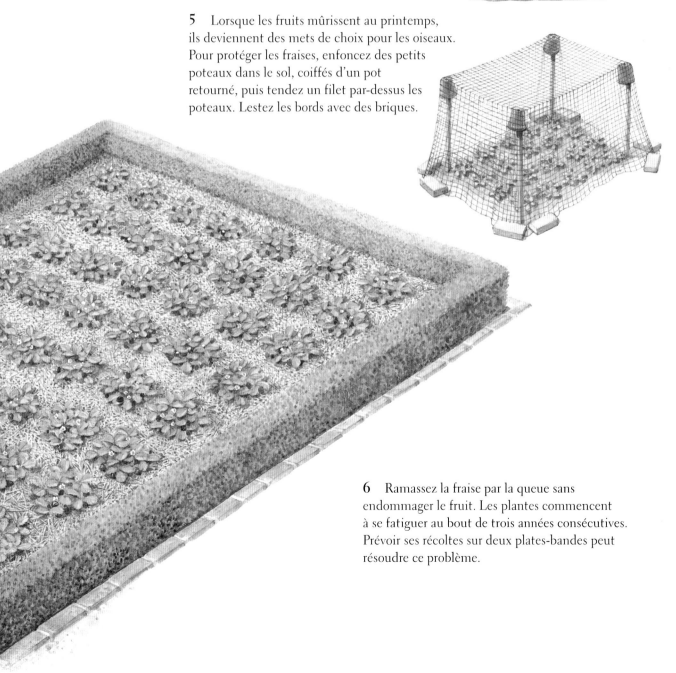

6 Ramassez la fraise par la queue sans endommager le fruit. Les plantes commencent à se fatiguer au bout de trois années consécutives. Prévoir ses récoltes sur deux plates-bandes peut résoudre ce problème.

Un goût d'Orient

Le jardinier cultivateur est par tradition une espèce très conservatrice, assez peu sensible aux nouvelles plantes. Par exemple, ce n'est que plusieurs siècles après son introduction que la tomate devint populaire en Europe. Mais les jardiniers d'aujourd'hui sont devenus plus aventureux, et suivent les développements de la cuisine en cultivant de plus en plus de légumes exotiques et orientaux.

MATÉRIEL & ÉQUIPEMENT

Briques • ciment • béton • cailloux

Aggloméré de 100 x 50 mm

Tasseaux de 25 x 25 mm

Battants de 50 x 50 mm pour les châssis

Vis galvanisées

Plaques de verre sur mesure • chevilles baïonnettes et mastic

Produit traitant pour bois ou peinture

Truelle • niveau à bulle

Scie et scie sauteuse

Cordeau et piquets

Graines et plants variés (voir page 231)

Compost mature

1   Pour peu qu'ils soient abrités, de nombreux légumes orientaux peuvent être cultivés avec succès dans un climat tempéré. Une serre froide à châssis construite sur des briques offre un environnement à la température constante. Pour construire la base en brique, commencez par tracer une tranchée rectangulaire de 2,1 x 1,5 m à l'aide de piquets et d'un cordeau. Creusez sur une profondeur de 400 mm et enlevez la terre.

2   Recouvrez le fond d'une couche de cailloux de 130 mm, puis d'une couche de béton de 100 mm. Posez deux rangées de briques sous le niveau de la terre.

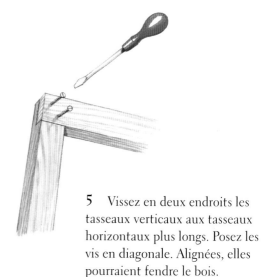

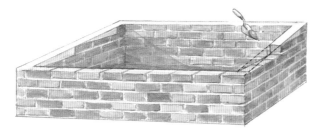

3   Montez le mur du fond à 600 mm au-dessus du sol et le mur de devant à 430 mm au-dessus du sol. Les murs latéraux doivent faire la jonction entre les deux. Comblez les décrochages sur le sommet des murs latéraux avec du ciment.

4   Des tasseaux de 100 x 50 mm, coupés aux dimensions exactes de l'enclos en brique, constituent le cadre. Sciez la moitié des extrémités dans le sens de la longueur pour le tasseau vertical et dans le sens de la largeur pour le tasseau opposé. Assemblez les tasseaux verticaux et horizontaux.

5   Vissez en deux endroits les tasseaux verticaux aux tasseaux horizontaux plus longs. Posez les vis en diagonale. Alignées, elles pourraient fendre le bois.

6   Passez une couche de produit traitant ou une sous-couche puis une couche de peinture. Le cadre peut alors être vissé à la brique.

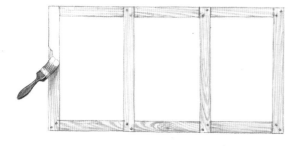

7   Clouez les tasseaux de 25 x 25 mm aux deux tasseaux centraux. Ils empêcheront les vitres de glisser sur les côtés.

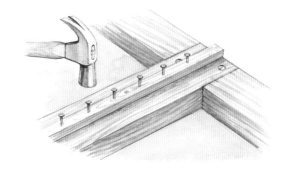

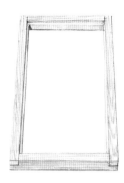

8 Les châssis les plus simples sont des cadres rectangulaires en bois qui retiennent une simple vitre. Les trois cadres sont faits de tasseaux de 50 x 50 mm, assemblés comme à l'étape 4. Les cadres doivent être suffisamment larges pour venir s'ajuster aux battants verticaux du cadre. Attention à bien mesurer le cadre.

9 Avec une scie sauteuse, découpez une corniche sur le bord du cadre afin d'y poser la vitre. Posez une plaque de verre coupée sur mesure. Fixez avec des chevilles baïonnettes et du mastic.

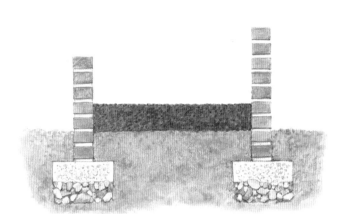

10 Retournez et mélangez la terre dans l'enclos à du compost mature. Si le sol n'est pas très profond, ajoutez du terreau sur le dessus. Semez les graines dans des petits sillons, dans le sens de la longueur de la serre. Échelonnez les semis de façon à étaler les récoltes dans le temps. Éclaircissez au besoin.

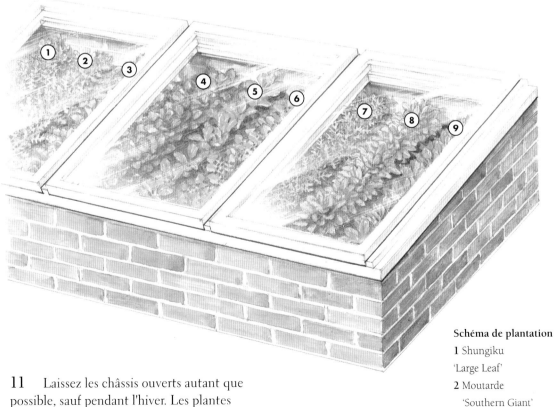

11 Laissez les châssis ouverts autant que possible, sauf pendant l'hiver. Les plantes ont besoin d'être régulièrement arrosées, surtout dans les coins qui sont presque totalement à l'abri de la pluie.

Schéma de plantation

1 Shungiku 'Large Leaf'
2 Moutarde 'Southern Giant'
3 Moutarde 'Red Giant'
4 Pak choi 'Choki'
5 Céleri japonais
6 Moutarde d'Abyssinie
7 Shungiku 'Small Leaf'
8 Moutarde 'Green in the Snow'
9 Choy sum 'Purple Flowering'

Bordure mixte

Un jardin demande beaucoup d'entretien, et il arrive parfois, lorsqu'arrive la fin de l'été,
que les herbes soient un peu fatiguées. L'une des solutions consiste à faire pousser les
herbes en bordure mixte. La saison terminée, lorsque les herbes ont donné tous leurs
parfums et leurs charmes à la plate-bande, d'autres plantes viennent prendre la relève.
Cette solution permet en outre de faire des récoltes sans laisser d'espace vide.

MATÉRIEL & ÉQUIPEMENT

Cordeau et piquets

Planches de bordure de 100 x 10 mm

Piquets de 150 mm

Dalles brisées ou pierres de gué

Gravier

Sable

Bâche de polyéthylène de 2,4 m x 300 mm

Herbes et plantes décoratives variées

Dame

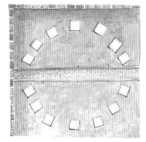

1   Faites une esquisse des bordures en y incluant divers points d'accès, par une allée de gravier et par des pierres de gué. Les pierres de gué sont des dalles carrées, rondes ou irrégulières qu'on espace pour figurer un chemin. Elles n'ont pas besoin d'être fixées avec du ciment et ainsi peuvent être déplacées en fonction de l'évolution du jardin. La composition fait ici 2,4 m x 2,4 m.

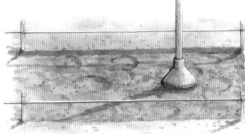

2   Marquez la position de l'allée avec des piquets et un cordeau. Compactez le sol fermement de façon que le gravier s'encastre presque dedans lorsque vous le poserez. Aplatissez aussi les parties de terre où les pierres de gué vont être posées.

3   Pour empêcher le gravier d'aller sur les plates-bandes, posez tout simplement une petite planche en bois, d'une longueur de 100 x 10 mm. Clouez des piquets de 150 mm tous les 900 mm.

4   Enfoncez doucement la planche dans le sol, le long de l'allée. Recouvrez le sol de l'allée de polyéthylène avant de poser le gravier, cela empêchera les mauvaises herbes de pousser. Posez une épaisseur de 100 mm de gravier et ratissez la surface.

5   Posez les pierres de gué sur une épaisseur de 50 mm de sable, pour qu'elles soient bien au même niveau.

6   Préparez la terre en automne. Arrachez les mauvaises herbes et ajoutez du compost à la terre. Au printemps, ratissez la surface pour enlever de nouveau toutes les mauvaises herbes. Agencez les plantes toujours dans leur pots sur les plates-bandes. Faites les ajustements nécessaires en imaginant les plates-bandes en pleine croissance.

Posez les herbes avec parcimonie au milieu des autres plantes. Elles seront ainsi masquées lors de leur période la moins intéressante sans pour autant retenir leur parfum. Plantez à partir du fond de la plate-bande. Arrosez bien et ratissez pour niveler le sol et enlever les traces de pieds. Si vous avez l'intention de poser un paillage, faites-le à ce moment.

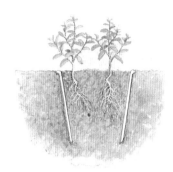

7   La menthe et le laurier de Saint-Antoine sont toutes les deux des plantes coureuses qu'il vaut mieux confiner pour qu'elles ne s'étendent pas trop. Un confinement peut être réalisé en mettant les plantes dans un seau sans fond. Pour leur laisser un peu plus de place, creusez et insérez du polyéthylène sur une profondeur d'au moins 300 mm autour du plant.

Schéma de plantation

1 *Philadelphus* 'Sibylle' x 1

2 *Foeniculum vulgare* (fenouil) x 3

3 *Lathyrus odoratus* (pois de senteur) x 8

4 *Angelica archangelica* (angélique) x 1

5 *Oenothera biennis* (onagre) x 3

6 *Cynara cardunculus* (cardon) x 1

7 *Satureja montana* (sarriette des montagnes) x 1

8 *Petroselinum crispum* (persil) x 5

9 *Borago officinalis* (bourrache) x 3

10 *Epilobium angustifolium* 'Album' (laurier de Saint-Antoine) x 3

11 *Mentha spicata* (menthe douce) x 3

12 *Aster* x *frikartii* x 1

13 *Lavandula stoechas pendunculata* x 1

14 *Nepeta* x *faassennii* (herbes aux chats) x 2

15 *Allium tuberosum* (ciboulette ail) x 5

16 *Achillea millefolium* 'Cerise Queen' (millefeuille) x 1

17 *Nepeta govaniana* x 3

18 *Lavandula angustifolia* (lavande) x 1

19 *Astrantia major* x 3

20 *Melissa officinalis* (citronnelle) x 1

21 *Laurus nobilis* (laurier) x 2

22 *Thymus serpyllum* (thym) x 3

23 *Nepeta sibirica* x 3

24 *Artemisia dracunculus* (estragon) x 3

25 *Origanum vulgare* (origan) x 3

26 *Tanecetum parthenium* 'Aureum' x 2

27 *Ruta graveolens* (rue officinale) x 1

28 *Calaminta grandiflora* (calament à grandes fleurs) x 1

29 *Iris foetidissima* x 1

30 *Salvia officinalis* 'Icterina' (sauge) x 1

31 *Levisticum officinale* (ache de montagne) x 1

32 *Anemone* x *hybrida* x 3

33 *Allium schoenoprasum* (ciboulette) x 5

34 *Myrrhis odorata* (cerfeuil musqué) x 1

35 *Rosmarinus officinalis* (romarin) x 1

36 *Pelargonium graveolens* (pélargonium odorant) x 3

37 *Geranium phaeum* x 1

38 *Dianthus* 'Miss Sinkins' x 3

39 *Alchemilla mollis* (alchémille) x 3

40 *Althaea officinalis* (guimauve officinale) x 1

8   Dessinez un plan complet de la composition. Veillez à ne pas sous-estimer la taille de certaines plantes. Ce plan n'est pas sacro-saint et peut être renouvelé tous les ans.

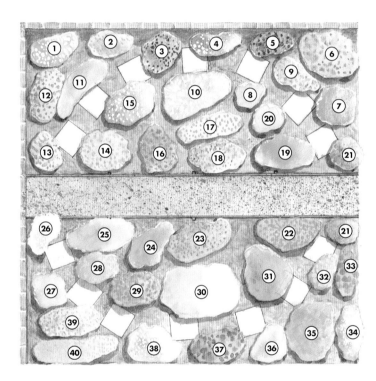

9   Les herbes ont tendance à avoir l'air mal peigné si on n'y prête pas attention. Coupez les fleurs fanées et arrachez toute végétation morte ou mourante.

Potager

Un jardin potager bien entretenu est en soi un élément très décoratif. Mais le potager va un peu plus loin car il est non seulement productif mais aussi conçu pour être beau. Créer un potager est principalement une question de combinaison de couleurs, de formes et de textures. Allées, plates-bandes et structures ornementales, toutes ont un rôle à jouer. Ce type de jardin peut aussi bien être fait d'une seule plate-bande que d'une combinaison de plusieurs.

MATÉRIEL & ÉQUIPEMENT

Pots en terre cuite

Gravier

Bordure de brique

Cordeau et piquets

1 bouteille et du sable coloré

Rouleau de jardin

Plantes et légumes variés

Compost mature en grande quantité

1 Dessinez un plan de votre potager. Ce premier jet n'inclut que les plates-bandes et les éléments permanents du jardin tels que les allées, les bordures, les haies et les arbres.

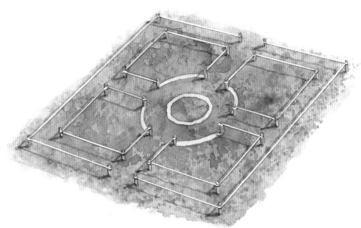

2 Préparez le terrain en arrachant toutes les mauvaises herbes et en déplaçant les plantes qui n'ont rien à faire ici. Reportez votre plan sur le sol à l'aide d'un cordeau et de piquets. Les courbes peuvent être dessinées avec un tuyau d'arrosage. Vérifiez toutes les mesures car elles doivent être bonnes du premier coup.

3 Il n'est pas essentiel de fixer définitivement les allées avec du béton. Vous pouvez avoir envie de les élargir ou de refaire votre potager après quelques années. Il suffit d'aplatir la terre avec un rouleau de jardin et d'ajouter plusieurs couches de gravier. Placez les bordures de brique avant de mettre le gravier.

4 Retournez les plates-bandes en ajoutant autant de compost que possible. Dessinez la composition sur la plate-bande avec une bouteille de sable coloré en guise de stylo. Semez les graines et agencez les plantes comme vous l'entendez. Une haie de buis plantée autour du potager en soulignera les limites. Plantez les pieds de buis espacés de 150 mm (voir page 226).

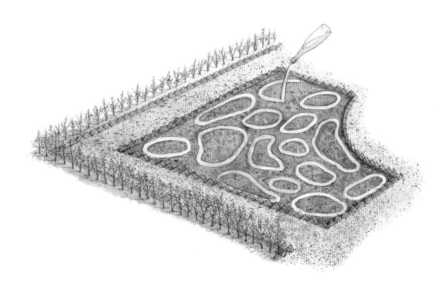

5 Essayez de bien entretenir le potager pendant l'été. La récolte peut laisser des trous qui n'arrangent pas la composition. Réservez quelques plants dans des pots ou des caissettes pour occuper les espaces vides. Les plantes à croissance rapide telles que les radis peuvent aussi être semés aux endroits concernés.

Combler les trous

Les pots en terre cuite peuvent être placés dans le potager soit en tant qu'élément permanent, soit pour combler un espace temporairement vacant. Mettez quelques pots de côté pour accueillir les plantes destinées à combler les trous, ou tout simplement pour remplacer les pots usagés.

Tonnelle de haricots

Un siège sous une tonnelle couverte de fleurs est un classique du jardin d'ornement, mais pourquoi ne pas incorporer un refuge aussi esthétique à un jardin potager ? Couverte de mange-tout, la tonnelle se révèle alors aussi belle que productive. De plus, cette structure peut être aussi bien permanente que temporaire, et changer année après année.

MATÉRIEL & ÉQUIPEMENT

Structure pour tonnelle achetée dans le commerce

Cordeau et piquets

Cailloux

Planches traitées de 230 mm de large et 20 mm d'épaisseur

Gravier

Sable

Gravier rond

Béton

Rouleau de jardin

Bourreur

4 plants de haricot d'Espagne (*Phaseolus coccineus*) par mètre

Compost mature

1   La structure peut être achetée en magasin ou sur Internet, mais un forgeron peut aussi en fabriquer une sur mesure. Réfléchissez à sa taille, car vous voudrez sans doute installer une table ou un banc sous la tonnelle. Vous devrez alors laisser un espace d'environ 300 mm pour permettre à la plante de bien pousser.

2   Dégagez l'espace sur lequel vous voulez poser votre tonnelle. À l'aide de piquets et d'un cordeau, tracez les bords de l'aire de repos puis ceux de l'allée. Chacune des deux sera ensuite recouverte de gravier.

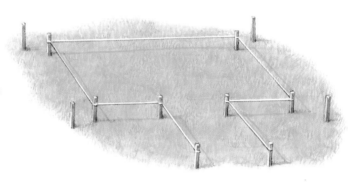

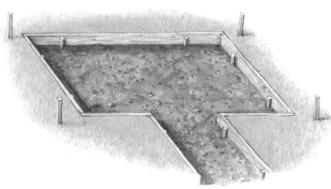

3   Creusez un trou de 200 mm de profondeur sur toute la superficie. Enlevez la terre et placez les planches sur le bord du trou. Plantez des piquets de renfort tous les mètres. Prenez un rouleau de jardin pour compacter l'espace creusé.

4   Recouvrez l'espace creusé d'une couche de cailloux de 100 mm d'épaisseur. Étalez une couche de 50 mm de gravier puis de sable, pour enfin la recouvrir de 25 mm de gravier rond. Ratissez la surface pour bien la niveler.

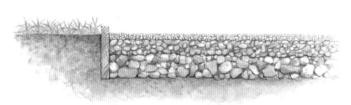

5   Si l'espace choisi est à l'abri du vent, vous n'aurez pas besoin d'ancrer les pieds de la structure dans du béton. Pour chaque pied, creusez un trou de 450 mm de profondeur, couvrez le fond d'une couche de gravier de 100 mm, puis comblez le trou avec de la terre. Si votre espace est au contraire exposé au vent, il faut renforcer les fixations de la structure avec du béton, car la pression exercée par le vent sur une tonnelle couverte de plantes peut être très importante.

6   Une fois la menace de gel écartée, creusez autour de la structure et plantez les mange-tout. Semez une graine contre chaque montant puis à 250 mm d'intervalle. Mettez de l'anti-limaces et arrosez correctement.

7   Les haricots vont s'enrouler naturellement autour de la structure, mais ils auront peut-être parfois besoin d'être redirigés afin que l'habillage soit complet. Inutile d'attacher les branches, les rentrer dans la structure suffit.

8   Ne laissez pas les haricots sécher, surtout lorsque les fleurs ont commencé à pousser. Pour encourager les ramifications, taillez le bout des branches lorsqu'elles ont atteint le milieu de la structure. Selon l'espèce, les haricots donnent des fleurs rouges, roses ou blanches.

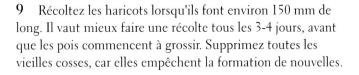

9   Récoltez les haricots lorsqu'ils font environ 150 mm de long. Il vaut mieux faire une récolte tous les 3-4 jours, avant que les pois commencent à grossir. Supprimez toutes les vieilles cosses, car elles empêchent la formation de nouvelles.

Techniques et outils

ÉQUIPEMENT

Le jardinier

La plupart des projets de ce livre peuvent être entrepris avec un équipement de jardinage minimal. Utilisez une brouette pour transporter les pots et mélanger le terreau. Pour des conteneurs lourds, utilisez un diable. Un chiffon solide ou un tablier peuvent se révéler très utiles lors de la plantation, ne serait-ce que pour transporter les déchets végétaux.

Les outils à main indispensables sont : un vieux couteau de cuisine pour le désherbage, une fourchette, une truelle, un plantoir pour semer les graines et repiquer les jeunes plants, un sécateur, une paire de ciseaux bien aiguisés, des cisailles et une scie pour élaguer. Les vieux outils sont souvent plus beaux que les nouveaux. Achetez-les d'occasion, sinon prenez des outils en métal inoxydable, ils sont plus faciles à nettoyer.

Pour l'arrosage vous aurez besoin d'un arrosoir et d'un tuyau d'arrosage. Utilisez un pulvérisateur pour les engrais et les insecticides, et un doseur pour faire les mélanges. Le jardinage est une activité très salissante et peu indulgente pour les mains. Porter des gants de jardinage semble donc de rigueur.

Le menuisier

Rien parmi les procédures, les jonctions ou les fixations des projets de construction de ce livre n'est vraiment compliqué à faire. Si vous savez scier et visser, vous vous en sortirez.

Utilisez une scie égoïne pour scier le bois et le contreplaqué. Si possible, sciez sur un établi, des tréteaux ou une table suffisamment solide. Les scies à métaux électriques sont sans doute les plus commodes pour une découpe en courbe, mais les scies à détourer marchent tout aussi bien.

Le marteau le plus polyvalent est sans doute le marteau arrache-clou avec lequel on peut et enfoncer et retirer un clou. Pour percer vos trous, prenez une perceuse à main ou une perceuse électrique avec les mèches appropriées.

La plupart des structures sont vissées. Servez-vous de préférence d'un tournevis cruciforme n° 2 Posidriv. Utilisez un poinçon pour faire des trous pilotes avant de visser. Le poinçon sert à marquer la position des trous et empêche le tournevis de glisser et ainsi d'abîmer le bois.

Le kit du menuisier comprend aussi une paire de serre-joints pour maintenir les pièces ensemble et un rabot.

La peinture

La plupart des travaux de peinture ne demandent que des pinceaux plats ordinaires. Cependant, pour les parties plus décoratives, on peut préférer la précision d'un pinceau rond. Ne peignez que sur une surface lisse et propre. Utilisez du white-spirit pour nettoyer vos pinceaux.

L'équipement doit aussi inclure des vieux chiffons, des sacs en plastique ou du papier. Prenez de la pâte à bois pour combler les fentes et lissez au papier de verre.

Les projets en métal

Les constructions métalliques présentées dans ce livre sont relativement simples et ne demandent que peu d'outils spécifiques. Pour découper le métal, utilisez des cisailles à tôle ou une scie à métaux.

Pour le plier, servez-vous d'un étau et un maillet. Il existe une grande variété de métaux et de feuilles de transfert pour la dorure et les finitions.

Pour ce genre de projet, portez toujours des gants.

TECHNIQUES DE MENUISERIE

Colles et fixations

Utilisez de la colle PVA (polyvinyle acétate). La surface à coller ne doit jamais être poussiéreuse ou graisseuse. Laissez la colle sécher toute une nuit pour une bonne adhésion.

Les vis Posidriv sont les plus faciles à fixer, surtout avec une perceuse-visseuse. Elles sont en générales antirouille et existent en plusieurs tailles et formes.

Au moment de visser deux éléments ensemble, percez un trou sur le premier élément du diamètre de la vis et un avant-trou sur le deuxième élément. Si vous travaillez avec une perceuse-visseuse, vous n'aurez pas besoin de percer de trous pilotes.

Pour lutter contre la rouille, choisissez des clous galvanisés. Les jonctions clouées doivent souvent être renforcées avec de la colle. Pour une finition plus propre, enfoncez les clous sous la surface du bois puis cachez les têtes avec de la pâte à bois.

Le bois

Les projets de ce livre utilisent souvent du bois tendre car il est peu onéreux et plus facile à travailler. Avant d'appliquer la moindre couche de peinture, traitez le bois avec un produit antipourrissement.

On trouve du bois ou massif, ou raboté. Précisez à votre menuisier quel type de bois vous désirez, car cela peut influencer les dimensions.

La largeur et l'épaisseur finales d'une planche rabotée feront entre 3 et 5 mm de moins que les dimensions données par le menuisier. Lorsque le bois est massif, une planche de 50 x 25 mm fait ces mêmes dimensions. Mais lorsqu'elle est rabotée, les dimensions données correspondent aux dimensions avant rabotage.

Une finition en bois massif est en général préférable si vous comptez juste le passer au mordant. Le bois raboté est plus destiné à être peint, surtout si la peinture est brillante.

Le contreplaqué

Les épaisseurs du contreplaqué vont de 3 mm à 30 mm. Le moins cher des contreplaqués est l'aggloméré. Parmi les contreplaqués imperméables, on trouve aussi le cèdre rouge (dont la teinte peut influer sur la couleur de votre peinture) et le contreplaqué marine dont le prix et la qualité supérieurs ne sont vraiment intéressants que si l'on utilise aussi du bois feuillu.

Le bois feuillu

Le chêne et le teck sont les bois d'extérieur les plus utilisés, mais ils sont aussi très chers et très difficiles à travailler. Mieux vaut prendre un bois déjà teinté avec un mordant, car la peinture adhère mal à ce type de bois.

Les traitements

Le bois nu doit être traité contre le pourrissement, les vers et les champignons. Les produits traitants sont conçus dans ce but, mais sont souvent toxiques pour les plantes et donc doivent être appliqués bien avant la plantation.

Certains traitements sont destinés juste à l'horticulture, mais la plupart sont teintés et peuvent changer la couleur finale du mordant.

Les mordants

Certains mordants font aussi traitement, d'autres sont seulement des imperméabilisants. Les mordants aux couleurs neutres sont en général les meilleurs et s'adaptent bien à la teinte naturelle du bois. C'est sur le bois massif qu'ils sont le plus efficaces.

Les peintures

On dispose d'une grande variété de peintures pour l'extérieur : brillantes à l'huile, microporeuses, mates (qui ont tendance à durer plus longtemps). Pour une finition très plate, passez deux sous-couches à l'huile l'une par-dessus l'autre.

La terre cuite peut être peinte avec une peinture à l'eau ordinaire, ou bien à la détrempe afin d'avoir un aspect vieilli. Le béton se peint avec une peinture mate, et le métal avec une peinture brillante ou une peinture à métaux.

FAIRE UNE JARDINIÈRE SIMPLE

Les instructions ci-dessous expliquent comment fabriquer une jardinière aromatique (pages 26-29), une jardinière surélevée (pages 34-37) et une jardinière de balcon (pages 38-41). Avant de commencer ce projet, référez-vous à la liste ci-dessous pour déterminer la quantité de bois dont vous aurez besoin. Lisez les projets particuliers pour avoir de plus amples détails sur la plantation et la décoration.

Matériel & équipement
- Tournevis
- Perceuse électrique avec une mèche plate de 25 mm, ou une perceuse à main
- Vis de 40 mm de long

Pour une jardinière aromatique
- 4 planches latérales de bois massif de 250 x 150 x 25 mm
- 4 planches avant et arrière de bois massif de 780 x 150 x 30 mm
- 4 tasseaux verticaux de bois massif de 300 x 30 x 30 mm
- 2 tasseaux de bois massif de 660 x 25 x 25 mm
- 2 tasseaux de bois massif de 190 x 25 x 25 mm
- 1 planche de contreplaqué de 715 x 245 x 10 mm

Pour une jardinière surélevée
- 2 planches latérales de contreplaqué de 160 x 200 x 20 mm
- 2 planches avant et arrière de contreplaqué de 900 x 200 x 20 mm
- 2 tasseaux verticaux de bois massif de 150 x 25 x 25 mm
- 2 tasseaux de bois massif de 810 x 25 x 25 mm
- 2 tasseaux de bois massif de 110 x 25 x 25 mm
- 1 planche de contreplaqué de 855 x 155 x 20 mm

Pour une jardinière de balcon
- 4 planches latérales de bois massif de 200 x 100 x 25 mm
- 4 planches avant et arrière de bois massif de 914 x 100 x 25 mm
- 4 tasseaux verticaux de bois massif de 150 x 25 x 25 mm
- 2 tasseaux de bois massif de 800 x 25 x 25 mm
- 2 tasseaux de bois massif de 150 x 25 x 25 mm
- 1 planche de contreplaqué de 850 x 200 x 25 mm

1   Percez un trou sur chaque coin des planches latérales et vissez les planches à deux des tasseaux verticaux. Fixez les planches latérales restantes aux deux autres tasseaux verticaux. Notez que la jardinière surélevée est composée de planches de simple contreplaqué.

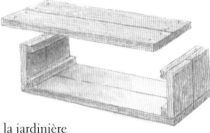

2   Couchez la jardinière sur le côté. Vissez les panneaux avant et arrière aux panneaux latéraux comme sur l'illustration, bord à bord avec les tasseaux verticaux.

3   Vissez à l'intérieur un tasseau de 800 x 25 x 25 mm sur la planche inférieure avant, bord à bord avec la base de la jardinière. Répétez l'opération pour le deuxième tasseau et la planche inférieure arrière.

4   Percez huit trous équidistants de 25 mm dans le contreplaqué. Découpez des carrés aux coins de la planche pour qu'elle puisse se poser sur les deux tasseaux longs.

COUPER EN ONGLET

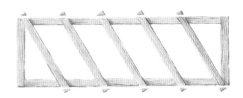

La meilleure façon de couper en onglet une pièce de bois est encore d'utiliser une boîte à onglets. C'est un bloc de bois tout simple avec un côté surélevé doté de fentes spécifiques servant à guider la scie. La meilleure scie, pour une découpe sur moins de 50 mm d'épaisseur, est une scie à dos. Tenez la pièce de bois contre le côté de la boîte et coupez en angle (généralement 45°). Les bouts carrés peuvent aussi être faits sur une boîte à onglets, comme le montre l'illustration.

FAIRE UN PANNEAU EN TREILLAGE ET UNE UNITÉ DE COIN

Chaque unité de coin de l'enclos en treillis des pages 116-119 est faite de deux panneaux en treillis vissés sur trois tasseaux de coin. Utilisez du bois massif traité ou bien passez une couche de produit traitant.

Matériel & équipement
Pour chaque panneau
- 13 m de bois de 50 x 25 mm
- Clous galvanisés de 25 mm de long

Pour chaque unité de coin
- 3 tasseaux traités de 900 x 80 x 80 mm
- 3 platines appointées
- 2 lattes de bois massif de 1 830 x 80 x 25 mm
- Bloc de bois pour enfoncer les pointes
- Vis de 80 mm de long
- Maillet
- Clous galvanisés de 50 mm de long

1   À partir du bois de 50 x 25 mm, découpez deux sections de 1 830 mm et deux de 600 mm de long. Divisez au crayon les sections longues en cinq sections égales. Clouez les grandes sections sur les deux courtes.

2   À partir du bois de 50 x 25 mm, découpez cinq sections de 790 mm de long. Clouez ces sections en diagonales sur le cadre, suivant les marques de crayon. Coupez tout ce qui dépasse comme le montre l'illustration ci-dessus.

3   À partir du bois de 50 x 25 mm, découpez à nouveau cinq sections de 790 mm de long. Clouez ces sections en diagonale de la même manière mais dans la direction opposée. Coupez le surplus de bois. Répétez l'opération pour le second panneau.

4   Placez le bloc de bois au-dessus d'une platine appointée et enfoncez la pointe dans le sol en tapant sur le bloc avec le maillet. Elle doit très légèrement dépasser du sol.

5   Enfoncez de même les autres platines, à 1 830 mm d'intervalle

6   Enfoncez chaque tasseau de coin sur les platines, comme sur l'illustration de droite.

7   Percez quatre trous dans chacune des sections courtes et fixez les sections aux tasseaux de coin avec des vis de 80 mm.

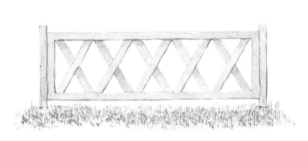

8   Enfin, chapeautez chaque treillage d'une latte de 1 830 x 80 x 25 mm.

BORDURES SOLIDES

Beaucoup de gens considèrent le mur en brique ou en pierre comme la bordure parfaite. Bien que les matériaux soient chers, les murs durent longtemps et s'avèrent idéaux pour faire pousser des plantes grimpantes ou abriter des plantes fragiles. Un mur doit être bien fait. Si vous doutez de votre capacité à construire un mur solide, allez voir un professionnel. Cependant, monter deux ou trois rangées de briques sur une hauteur de 450 mm devrait être à la portée de la plupart des jardiniers.

La plupart des murs devraient faire deux briques de large, à savoir environ 230 mm. Un mur peut avoir une largeur d'une seule brique que s'il ne dépasse pas les deux ou trois briques de haut. L'appareil d'un mur a autant d'importance dans la solidité que dans l'esthétique.

Mélanger le béton

On peut trouver du béton prêt à l'emploi mais seulement en grande quantité, de plus il est assez facile à faire. Le béton est un mélange de granulats (sable, graves) agglomérés par du ciment. Les granulats sont souvent achetés pré-mélangés sous le nom de « ballast ».

Pour construire les fondations, il faut mélanger une dose de ciment pour cinq doses de ballast. Les doses n'ont pas besoin d'être précises et représentent en général une pelle, ici donc une pelle de ciment pour cinq pelles de ballast.

La manière la plus simple de faire du béton est d'utiliser une bétonnière manuelle. Ajoutez de l'eau petit à petit jusqu'à ce que le mélange devienne suffisamment épais.
Évitez de mettre trop d'eau.

Si vous ne pouvez disposer d'une bétonnière, suivez les instructions suivantes.

2 Versez doucement de l'eau dans le puits sans qu'elle déborde.

3 Mélangez le béton à l'eau et rajoutez de l'eau si nécessaire.

Les appareils

Les appareils les plus fréquemment utilisés en maçonnerie sont les appareils anglais, flamand et en panneresses. La brique de liaison qui se pose perpendiculairement à la longueur du mur est appelée boutisse. La panneresse est disposée suivant la longueur du mur.

1 Mélangez les ingrédients secs sur une planche. Ramenez la mixture sur le centre de la planche et faites un puits.

L'appareil anglais

Cet appareil consiste à alterner une, trois ou cinq boutisses pour une panneresse toutes les deux assises.

L'appareil flamand

Cet appareil consiste à alterner une, trois ou cinq boutisses pour une panneresse par assise.

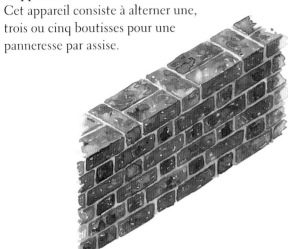

L'appareil en panneresses

Les panneresses sont disposées de manière que les joints verticaux soient décalés d'une demi-longueur de brique d'une assise à l'autre.

Vérifier les niveaux

Il est important que le mur construit soit droit. C'est pourquoi il est recommandé d'utiliser un niveau tout au long de la construction. Commencez par vérifier les extrémités, puis ensuite le centre, une rangée à la fois.

PLATE-BANDE SURÉLEVÉE

Les plates-bandes surélevées sont particulièrement commodes dans les petits jardins de ville. Ces structures basse sont idéales pour le maçon débutant.

Qu'elle soit en brique, en pierre ou en béton, la plate-bande surélevée doit avoir des fondations. Pour le drainage, laissez un espace entre les briques à la base de l'ouvrage. Une rangée de tuiles de bas en haut redirigera la pluie loin des briques. Pour préparer la plate-bande, posez une couche de cailloux puis remplissez avec de la bonne terre mêlée de compost.

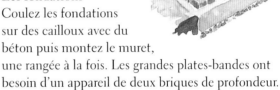

Les fondations

Coulez les fondations sur des cailloux avec du béton puis montez le muret, une rangée à la fois. Les grandes plates-bandes ont besoin d'un appareil de deux briques de profondeur.

Le drainage

Le drainage est assuré par la présence d'une couche de cailloux au fond, puis de gravier ajouté à la terre et du compost mature.

Autres matériaux

Les murs en traverses de chemin de fer n'ont pas besoin de fondations. Il faut seulement les empiler sur une surface plane et laisser quelques trous à la base pour le drainage.

PRÉPARATION DU SOL

L'étape la plus importante dans la création d'une plate-bande est la préparation du sol. Sans elle, même la plate-bande la mieux conçue est condamnée à mourir au bout d'une année ou deux. Arrachez toutes les mauvaises herbes avant de planter. La moindre racine peut repousser et devenir presque impossible à arracher sans retourner à nouveau toute la plate-bande. Il est possible de bêcher et de retirer
les mauvaises herbes en même temps sur un sol léger, mais sur les sols lourds, il est parfois nécessaire d'employer un désherbant. Si c'est le cas, lisez bien la notice avant emploi. Bêchez à l'automne, plantez au printemps, cela laissera le temps aux mauvaises herbes restantes de pousser un peu plus et d'être arrachées. Il est possible de bêcher au printemps et de planter en automne, mais seulement dans les endroits à hivers doux.

DOUBLE BÊCHAGE

Toutes les plates-bandes doivent être bêchées, mais un double bêchage est préférable, surtout sur une terre lourde, car il permet de bien casser la terre. Ne bêchez pas sur un sol trop humide. Lorsque le bêchage est terminé, recouvrez le sol d'autant de compost que possible. Le compost améliore la structure du sol et nourrit les plantes.

1　Creusez une tranchée de 300-450 mm de large et 300 mm de profondeur. Mettez de côté la terre creusée.

2　Retournez la terre sur une épaisseur de 300 mm et ajoutez du compost. Creusez la tranchée suivante et utilisez la terre amassée pour remplir la première tranchée.

3　Comme précédemment, retournez la deuxième couche de terre. Ajoutez du compost et cassez les mottes de terre compacte avec une fourchette.

4　Lorsque vous arrivez en bordure de plate-bande, remplissez la dernière tranchée avec la terre issue de la première tranchée.

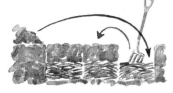

TYPES DE COMPOSTS

Algue marine : excellente qualité et riche en minéraux.
Compost de champignon usé : bonne qualité de compost et de paillis.
Compost de houblon usé : bonne qualité mais faible valeur nutritive.
Compost domestique : bonne qualité dans l'ensemble, mais attention aux mauvaises graines.
Composts du commerce : bonne qualité mais chers.
Fumier : bonne qualité dans l'ensemble, mais attention aux mauvaises graines.
Paillis de feuilles : excellente qualité de compost et de paillis.
Sciures et copeaux de bois : meilleurs en tant que paillis.
Tourbe : très peu de valeur nutritive et se décompose trop vite pour vraiment être intéressante.

Sa nature fibreuse contribue aussi à garder l'humidité au fond du sol. Laissez le sol bêché à l'air libre pendant plusieurs mois. Le froid se chargera de tuer toutes les maladies. Quelques mauvaises herbes vont aussi réapparaître. Évitez de marcher sur la plate-bande durant cette période.

LE COMPOST DOMESTIQUE

Le meilleur compost reste celui que l'on fait soi-même. Presque toutes les plantes peuvent faire du compost, du moment qu'elles sont exemptes de germes et pas trop ligneuses. Toutes les épluchures ou tout reste de légume non cuit conviennent.

Placez les déchets dans un conteneur troué sur les côtés pour laisser passer l'air. Évitez de faire des couches trop épaisses avec un seul élément, comme de l'herbe coupée. Gardez le récipient humide et couvert pour que le compost reste au chaud et ne soit pas trop mouillé en cas de forte pluie. Si possible, prévoyez deux récipients, le deuxième servant à stocker les éléments. Un troisième récipient peut vous permettre de laisser le compost encore plus longtemps.

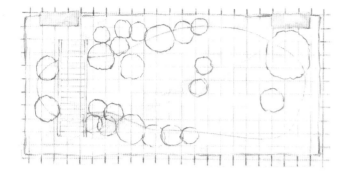

PLANIFIER UNE BORDURE

Avant de dessiner un plan de plate-bande, réfléchissez à ce que vous voulez en premier lieu : une plate-bande qui demande peu d'entretien ? qui soit flamboyante ? ou qui soit dans des tons plus pastel ? Préférez-vous créer des effets de feuillage ou avoir beaucoup de fleurs à couper ?

Il faut aussi penser à la position de la bordure et aux avantages qu'elle offre. Est-ce un endroit ensoleillé ou ombragé ? Le sol est-il acide ou calcaire ? Est-il humide, sec ou juste comme il faut ? Est-il lourd ou sablonneux ? Tous ces facteurs joueront sur la quantité de travail que vous aurez à accomplir et sur le type de plantes que vous pourrez ou ne pourrez pas faire pousser. Par exemple, si votre sol est crayeux, vous ne pourrez pas faire pousser des rhododendrons.

Il faut ensuite choisir les plantes. Quelle plante pour quel effet ? Prenez au moins une saison pour vous décider. Il faut visiter des jardins un calepin à la main et faire une liste de plantes. Consulter des livres peut aussi être une source d'inspiration. Une fois votre liste faite, il faut savoir si vous pouvez obtenir facilement ces plantes ou si vous devez faire des kilomètres pour les trouver. Ajustez la liste en fonction de ce critère.

Vous êtes maintenant prêt à planifier votre bordure. Sur une feuille de papier, dessinez la bordure et la position des différentes plantes, en prévoyant leur taille finale. Vous n'avez pas besoin d'être bon en dessin pour faire un bon plan. Coloriez le plan pour le rendre plus parlant et pour bien organiser la plantation sur l'année. Il peut d'ailleurs être très utile de dessiner la bordure à différentes saisons pour vous faire une idée de l'allure qu'elle aura au fil de l'an. Dessinez aussi la bordure vue de devant pour jauger la hauteur de certaines plantes. Il est plus facile de corriger les problèmes sur un dessin que sur une plantation.

LA PLANTATION

Ratissez le sol pour enlever les mauvaises herbes. Ajoutez un peu de fertilisant à la terre s'il n'y a pas eu assez de compost la première fois.

La meilleure époque pour planter des arbustes et des arbres se situe entre la fin de l'automne et le début du printemps. Plantez les vivaces en automne ou au printemps. Pour les annuelles, il faut attendre que la période de froid soit passée, sinon, attendez tout simplement le début du printemps ou de l'automne. Pour se rendre compte de ce que va donner la bordure une fois terminée, disposez les plantes avec leur pot en fonction de leur position dans la bordure. Ainsi, vous pourrez toujours faire des ajustements de dernière minute.

Creusez un trou plus grand que la motte des racines et insérez la plante dans le sol de façon que le dessus de la motte se retrouve à la même profondeur que lorsque la plante était dans son pot. Même chose si la plante provient d'une bordure. Si les racines s'accrochent au pot ou si elles sont emmêlées, démêlez-les et étalez-les au fond du trou. Pour planter un arbre ou un arbuste, il faut creuser un trou plus grand que la masse radiculaire et ajouter une bonne dose de compost au fond de ce trou. Mélangez aussi le compost avec la terre creusée avant d'en combler le trou. Si l'arbre ou l'arbuste a besoin d'un tuteur, plantez-le avant l'arbre de façon à ne pas endommager ses racines.

LE PAILLIS

Une fois la plantation terminée, arrosez puis ratissez la surface pour l'aplanir. Posez ensuite un paillis.

Le paillis protège la surface du sol en le gardant humide et en empêchant les mauvaises herbes de germer.

Parmi les paillis végétaux on compte l'écorce morcelée, le compost de feuilles, le compost de champignon usé, l'herbe coupée et la paille. Parmi les non végétaux, le voile en plastique (recouvert de terre, de gravier ou de cailloux), le gravier ou les galets.

LES SEMIS

Semis en place : annuelles

Marquez au besoin les emplacements des différentes espèces avec du sable fin avant de semer.

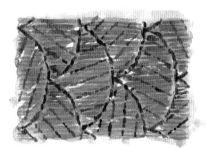

Semis en place : vivaces

1 Bêchez avec soin et ratissez la terre afin de la rendre propice à la croissance.

2 Faites un petit sillon avec le tranchant d'une binette le long d'une ligne de guidage si nécessaire. Cette ligne peut être réalisée en tendant un cordeau entre deux piquets.

3 Versez de l'eau dans le sillon, cela le raffermira en plus d'assurer une bonne humidité aux graines.

4 Semez les graines en les dispersant le long du sillon. Ne semez pas trop serré car les graines se disputeraient les substances nutritives.

5 Ramenez la terre sur le sillon avec le dos du râteau et versez un peu d'eau.

Semis en place

Pour planter des annuelles, bêchez bien la terre et ratissez afin de la rendre propice à la croissance. Marquez les emplacements des plantes avec du sable fin, cela rend le semis plus facile. Dispersez les graines sur les endroits prévus puis ratissez doucement la surface pour les enterrer. Arrosez avec une pomme fine.

Pour planter des vivaces, faites un petit sillon avec le tranchant d'une binette le long d'une ligne de guidage si nécessaire. Versez de l'eau et semez les graines en les dispersant le long du sillon. Ramenez la terre sur le sillon.

Semis en pot

Si les graines ont besoin de chaleur, elles doivent être semées dans un plateau ou un pot. Remplissez le pot de terreau de bonne qualité et aplanissez la surface. Enfoncez la graine très légèrement dans la terre puis recouvrez-la d'une fine couche de gravier ou de terreau. Arrosez le tout. Les annuelles ont en général besoin de chaleur et devraient être gardées dans un germoir ou une serre chauffée. En revanche, les plantes vivaces ont rarement besoin de chaleur et peuvent être élevées dehors, dans un endroit à l'abri du vent. Gardez le substrat humide jusqu'au moment où les graines commencent à germer, puis repiquez les plantules dans des pots individuels. Les plants qui ont été élevés en intérieur doivent d'abord rester en serre froide au moins jusqu'à la fin de l'hiver, avant d'être plantés dehors.

Semer dans un pot

Une fois les graines semées dans le pot, il faut les couvrir avec du terreau ou du gravier, selon la plante.

Semis dans un plateau à semis

Lorsque les semis sont assez développés, repiquez les plantules dans des pots individuels.

Planter des bulbes

En règle générale, la profondeur du trou doit faire au moins trois fois la hauteur du bulbe.

leurs feuilles sont encore vertes, soit dans un pot. Par exemple, le perce-neige doit toujours être acheté encore vert alors que le cyclamen se porte mieux dans un pot.

ACHETER DES PLANTES

Les jardineries proposent une variété de plantes raisonnable mais une pépinière peut vous fournir une plus grande sélection, et même des plantes rares.

Bon nombre de pépinières pratiquent la vente par Internet, ce qui est très commode lorsqu'elles sont loin. Passez votre commande suffisamment longtemps à l'avance car certaines pépinières peuvent être parfois en rupture de stock, et ne partez pas en vacances après avoir passé commande : vous pourriez ne trouver au retour que des plantes mortes.

Évitez d'acheter les gros spécimens. Les plantes de taille moyenne sont les meilleures du moment qu'elles sont saines. Évitez les plantes qui ont pris la forme du pot. L'autre solution est de faire pousser ses plantes soi-même à partir de graines. Cette méthode est de loin la moins chère mais les plantes mettent du temps pour arriver à maturité. Les plantes rares ne sont souvent disponibles qu'à l'état de graine.

LES BULBES

Plantez à l'automne les bulbes qui fleurissent au printemps, et au printemps ceux qui fleurissent à l'automne. La profondeur du trou doit faire au moins trois fois la hauteur du bulbe. Les bulbes comme la tulipe ou la jonquille peuvent être achetés en magasin tels quels ; pour les autres il vaut mieux les acheter soit encore « verts » quand ils viennent d'être enfouis et que

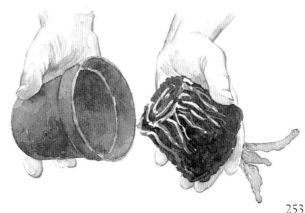

Soins et entretien

CHOISIR UN CONTENEUR

Au moment de décider quelle sorte de conteneur irait mieux dans votre jardin, vous pouvez soit choisir d'abord les plantes puis les conteneurs en fonction de leurs formes et de leurs habitudes, soit faire l'inverse, à savoir d'abord choisir les conteneurs, puis concevoir une composition ensuite. Cette dernière option a l'avantage de souligner l'importance des éléments qui seront là toute l'année et qui devront se fondre dans le décor.

Définissez d'abord les endroits du jardin qui ont besoin de plantes et quel type de conteneur irait bien avec tel endroit. Pour être appréciée de loin, la forme du conteneur doit être simple et nette. On doit aussi réfléchir à la hauteur de la composition en rapport avec le reste du jardin, car plus la plante est haute et plus le conteneur doit être grand.

Les conteneurs aux détails élaborés doivent être placés devant, là où les détails peuvent être vus. Il en va de même pour la composition. Les schémas complexes aux plantes délicates doivent être appréciés de près.

La couleur des conteneurs doit aussi être choisie en harmonie avec la maison, le reste du jardin et surtout avec le projet de composition. En règle générale, les conteneurs qui vieillissent naturellement sont les plus beaux. Les pots en terre cuite faits à la main ont très vite un aspect patiné. La tôle, la pierre et la pierre de taille prennent aussi de la patine avec l'âge. La procédure peut néanmoins être accélérée en appliquant du vinaigre sur la tôle, et du yaourt, du lait ou du fumier liquide sur la pierre. L'une des façons de vite vieillir un pot consiste à le placer sous un arbre dégouttant.

Le fer et le bois ont tous deux besoin d'une couche de peinture ou de mordant. Utilisez un bleu dit « de Versailles ». Cette couleur est souvent utilisée sur les volets des maisons françaises et italiennes.

PRENDRE SOIN DU CONTENEUR

Le conteneur doit être scrupuleusement gratté et nettoyé avant la plantation. Brossez-le bien à l'intérieur avec de l'eau propre mais essayez de préserver la patine sur l'extérieur. Si la plantation a des chances de changer suivant la saison, posez une bâche plastique dans le conteneur. Ces bâches sont particulièrement utiles pour les jardinières de Versailles et les urnes. Si le pot doit rester dehors toute l'année, vérifiez que la terre cuite a été traitée contre le gel. L'hiver venu, même les plantes les plus rustiques auront besoin de protection. Enveloppez le pot dans de la toile de jute (voir en bas à gauche), de la paille ou du papier à bulles. Si les plantes sont dans des pots en plastique, placez de la paille entre le pot et le conteneur. Dès l'automne ou au printemps, examinez l'état de vos conteneurs et repeignez-les si nécessaire.

Tous les conteneurs doivent avoir un bon drainage. Vérifiez que le pot est bien percé au fond et étalez une couche d'argile ou de gravier.

SUBSTRAT DE PLANTATION

À plantes différentes, substrats différents. Pour les plantations semi-permanentes, utilisez un terreau riche et aéré. Pour les compositions brèves, choisissez un terreau « sans terre ». Certaines plantes ont des besoins spécifiques. Par exemple, il existe des mélanges spéciaux pour les bulbes et on recommande un terreau très grumeleux à base d'humus pour les plantes de montagne. Les terreaux John Innes sont numérotés de 1 à 3 selon leur apport nutritionnel. Il faut aussi savoir si la plante a besoin d'un engrais rapide ou retard.

Le terreau à base de tourbe convient bien à la culture en conteneur car il est léger. Mais il a aussi tendance à sécher très vite et donc doit être évité en cas de plantes difficiles à arroser.

Le terreau à base de limon offre plus de stabilité, mais il est aussi plus lourd. Il existe aussi des mélanges à base de fibres de noix de coco ou de bois.

REMPOTER

La taille du pot est en corrélation avec la taille de la plante. Il doit être suffisamment large pour contenir les racines et les laisser grandir. Certaines plantes n'apprécient pas les transplantations répétées ou se moquent de prendre la forme du pot. D'autres, en revanche, doivent être impérativement rempotées pendant leur croissance. La plupart des plantes saisonnières peuvent survivre dans un pot trop petit si elles sont convenablement arrosées et nourries.

Pour un arbuste ou un arbre, commencez avec un pot suffisamment grand pour supporter sa croissance plusieurs années, sachant qu'il devra inévitablement être replanté. Les jardinières de Versailles ont été spécialement conçues pour un rempotage facile (les côtés se démontent) et sont parfaites pour des grands sujets tels que les orangers, les citronniers, les camélias et les plantes exotiques.

Il se peut que la masse radiculaire d'une plante saisonnière doive être comprimée au moment du rempotage. Tant que les racines ont de la place pour grandir vers le bas, la plante survivra.

En revanche, il faut bien surveiller la position des racines des plantes vivaces. Les spécimens simples doivent être solidement installés au centre du pot. La surface de la terre doit arriver à 25 mm du haut du pot, de façon à ménager un réservoir d'eau. Ces plantes doivent aussi avoir une tige solide et bien droite, quitte à leur mettre un tuteur, car il sera par la suite impossible de corriger ce défaut.

Les plantes grimpantes peuvent aussi bien partir du sol que d'un pot. Il existe une grande variété de tuteurs, de formes métalliques et de treillages que vous pouvez soit acheter, soit faire vous-même.

L'ARROSAGE

La clé de la culture en pot est l'arrosage estival. Les petits pots, surtout ceux en terre cuite, sèchent très vite et doivent être arrosés deux fois par jour lorsqu'il fait très chaud. Arrosez une fois tôt le matin, et une autre à la tombée de la nuit, pour éviter que les feuilles ne prennent des coups de soleil. N'arrosez les grands pots qu'une fois par jour. Abreuvez bien la plante en remplissant le réservoir à ras bord. Si vous utilisez un tuyau d'arrosage, mettez un embout pour éviter que le jet ne déplace de la terre.

Réduisez l'arrosage au fur et à mesure des saisons. La plupart des plantes en hiver doivent surtout ne pas se dessécher. Vérifiez leur taux d'humidité tous les 2-3 jours. Certaines plantes sont en dormance et préfèrent avoir une terre presque sèche. Placez un paillis pour conserver l'humidité le plus longtemps possible.

LES ENGRAIS

Il y a plusieurs méthodes pour nourrir des plantes élevées en pot. L'engrais retard en granules convient aux plantations à long terme. Dispersez quelques granules sur la terre et ratissez la surface avec une fourchette pour qu'ils se mêlent au substrat. D'autres engrais chimiques peuvent être mélangés au terreau lors de la plantation. Les engrais liquides doivent être dilués dans l'eau d'arrosage. On peut y ajouter des composts végétaux. Pendant la saison de croissance, utilisez un compost domestique, du fumier bien mature ou du sang séché et de la poudre d'os.

Informez-vous toujours des besoins particuliers de chaque plante.

PARASITES ET MALADIES

Les plantes qui souffrent d'un manque d'eau et d'engrais sont les plus vulnérables face à une attaque. Le meilleur moyen d'éviter une invasion de parasites ou une maladie reste encore de bien s'occuper des plantes et de leurs conteneurs.

La propreté des pots et des outils est un point essentiel de la lutte antibactérienne, de même qu'une surveillance régulière aide à garder les plantes en bonne santé. Les plantes sont sensibles à trois groupes de maladies : bactériennes, fongiques et virales. Ces dernières sont incurables. La destruction de la plante infectée est le seul remède.

Deux exemples typiques de bactéries sont illustrés ci-dessous : la tache foliaire et le mildiou. Le Bénomyl est le pesticide le plus efficace contre ces bactéries. Pulvérisez sur les plantes à l'abri du vent et au coucher du soleil pour ne pas nuire aux autres insectes.

Les parasites les plus courants sont les pucerons, qui peuvent être combattus avec du Pirimicarb. La mouche blanche doit être traitée à la perméthrine et les cochenilles avec une solution de paraffine et de nicotine.

Ne laissez jamais les pesticides à la portée des enfants et des animaux domestiques, et portez des gants et un masque à chaque utilisation.

ENTRETIEN DES PLATES-BANDES

Le tuteurage, la taille, l'arrosage et le nettoyage sont autant d'éléments qui contribuent à la bonne santé de la plate-bande.

Bâtonnets

Ce type de tuteur polyvalent et flexible peut être attaché en groupe de manière à former une cage de soutien autour des plantes fragiles.

Filet

Le filet est un support permanent. La plante pousse à travers les mailles du filet, qui avec le temps sera caché par le feuillage.

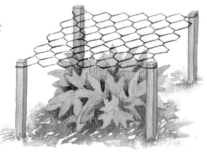

Cordes et piquets

Des piquets soutenant un réseau de cordes peuvent être utiles pour soutenir les arbustes touffus, du moins tant qu'ils ne sont pas bien enracinés.

Tuteurs

Toutes les plantes susceptibles d'être renversées par le vent ou celles qui peuvent devenir trop lourdes sous la pluie doivent être tuteurées. Posez un tuteur individuel pour les fleurs à longue tige, comme les pieds-d'alouette, des bâtonnets, ou un filet pour soutenir les massifs. Posez le tuteur lorsque la plante est adolescente.

Les arbres et arbustes devraient être accompagnés d'un ou deux tuteurs. La plupart des arbres se contentent d'une seule attache, placée à 300 mm du sol. Les rosiers simples et les arbres sensibles au vent préfèrent un long tuteur avec deux attaches.

Tuteurs pour arbres

Une seule attache est placée en bas du tuteur. Cela devrait assez stabiliser l'arbre les premières années.

Tuteurs pour buissons simples

Les arbres de plein vent comme les rosiers simples ont besoin d'un long tuteur avec deux attaches. Le dessin ci-contre montre où placer la première attache.

Tailler

À moins de vouloir garder les graines ou les tiges pour la décoration, coupez toutes les fleurs mortes ou mourantes. De nombreuses plantes vivaces doivent être rabattues sur pied après la floraison. Cela encourage la croissance d'un feuillage neuf.

Arroser

Arrosez bien les plantes pendant les périodes sèches, avec une réserve d'au moins 25 mm au-dessus de la surface de la terre. N'arrosez pas en plein soleil. Il n'est pas nécessaire de mettre de l'engrais si la plate-bande est régulièrement binée. À l'automne, remplacez le paillage organique avec une couche de fumier et de compost domestique et inversement lorsque le printemps arrive.

Nettoyer

Arrachez toutes les mauvaises herbes dès leur apparition. Il faut donc vérifier régulièrement, sinon elles peuvent être difficiles à enlever. Évitez d'utiliser des herbicides chimiques sur les plantes.

Soins d'automne

Taillez les plantes vivaces à l'automne. On peut le faire au printemps pour laisser les vieilles tiges protéger la couronne contre le froid, mais il vaut mieux le faire pendant la saison calme pour éviter une surcharge de travail à la reprise printanière.

TAILLE

Les arbres ornementaux et les arbustes à feuillage persistant n'ont en général pas besoin de taille, si ce n'est pour enlever les branches mortes ou pour des raisons esthétiques. En revanche, la plupart des arbustes à feuillage caduc demandent une attention soutenue. Le but est ici de rendre l'arbuste vigoureux pour qu'il produise un feuillage touffu et de jolies fleurs. Pour cela, un tiers des vieilles branches devraient être coupées tous les ans, afin d'encourager une nouvelle croissance. En règle générale, on taille un arbuste juste après la période de floraison. Les tiges faibles, malades et mortes doivent aussi être enlevées. Coupez juste au-dessus d'un bouton viable.

Tailler et entretenir les grimpantes

Toutes les plantes qui s'entortillent ou à crampons, comme le chèvrefeuille et la clématite, grimpent plus facilement sur du fil de fer, un treillage ou sur une autre plante. En revanche, certaines grimpantes à crampons comme le lierre ne requièrent pas de support. Le poids d'une grimpante non taillée peut finir par endommager son support, et l'importance de son feuillage peut l'empêcher de fleurir. L'éclaircir garantit la croissance vigoureuse des feuilles et des fleurs.

Les rosiers

Les rosiers grimpants et couvre-sol sont très vigoureux et ont besoin d'être attachés à une structure. Ils forment une superbe couverture mais demandent une taille et un entretien presque constants. Les rosiers grimpants doivent être taillés en automne ou en hiver. Les couvre-sol sont taillés à la fin de l'été, après la floraison. Le nettoyage facilite la croissante, mais doit être évité si vous voulez avoir des cynorhodons.

Tailler un rosier grinpamt

Ne taillez pas la première année. Ensuite, ne coupez que les pousses principales et seulement si elles dépassent l'espace qui leur est alloué. En revanche, il faut rabattre les pousses latérales aux deux tiers.

Tailler un rosier couvre-sol

Ne taillez pas la première année. Coupez deux ou trois branches chaque année (coupez par section, c'est plus facile). Rabattez les branches principales d'un tiers et les latérales de deux tiers.

Les clématites

Tailler une clématite peut être assez complexe, car il en existe de plusieurs sortes, qui demandent toutes un traitement spécifique.

Il existe trois groupes de clématites et il est important de savoir à quel groupe le sujet appartient, de façon à éviter une taille insuffisante qui pourrait mener à sa destruction. Des exemples de clématites ainsi que leur groupe sont indiqués ci-dessous. Les plantes du premier groupe doivent être taillées en automne, et celles des deux autres, au début du printemps. Une bonne taille garantit la croissance vigoureuse des feuilles et des fleurs.

Clématites du groupe 1

Espèce à floraison précoce qui fleurit sur les pousses de l'année précédente. N'enlevez que ce qui est mort. Si vous voulez empêcher la plante de devenir trop grosse ou trop lourde, coupez quelques tiges chaque année.

Clématites du groupe 2

Espèce à feuilles larges qui fleurit en début de saison ou à la mi-saison sur les nouvelles pousses des tiges de l'année précédente. Supprimez un peu de vieux bois.

Clématites du groupe 3

Espèce à feuilles larges qui fleurit sur du bois neuf. Rabattez juste au-dessus d'une vigoureuse paire de bourgeons.

QUELQUES CLÉMATITES ET LEUR GROUPE	
C. 'Abundance' 3	C. 'Lasurstern' 2
C. alpina 1	C. 'Little Nell' 3
C. armandii 1	C. macropetala 1
C. 'Barbara Dibley' 2	C. 'Marie Boisselot' 2
C. 'Barbara Jackman' 2	C. 'Miss Bateman' 2
C. 'Bill MacKenzie' 3	C. 'Montana' 1
C. cirrhosa 1	C. 'Mrs Cholmondeley' 2
C. 'Comtesse de Bouchaud' 3	C. 'Nelly Moser' 2
C. 'Countess of Lovelace' 2	C. 'Niobe' 2
C. 'Daniel Deronda' 2	C. 'Perle d'Azur' 3
C. 'Doctor Ruppel' 2	C. 'Rouge Cardinal' 3
C. 'Duchess of Albany' 3	C. 'Royal Velours' 3
C. 'Elsa Späth' 2	C. 'Star of India' 2
C. 'Ernest Markham' 2	C. tangutica 3
C. 'Étoile Violette' 3	C. 'The President' 2
C. 'Gipsy Queen' 3	C. tibetana 3
C. 'Hagley Hybrid' 3	C. 'Ville de Lyon' 3
C. 'H. F. Young' 2	C. viticella 3
C. 'Jackmanii' 3	C. 'Vyvyan Pennell' 2
	C. 'W. E. Gladstone' 2

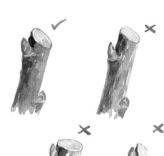

Bien tailler

Tailler correctement est très important pour la santé de toute plante. Les coupes doivent être de biais, juste au-dessus d'un bourgeon viable (en haut à gauche).

La glycine

La glycine doit être taillée deux fois par an, une fois immédiatement après la floraison, et une deuxième en hiver. La glycine laissée à l'abandon ne pourra plus produire de fleurs. Vers la fin de l'été, réduisez toutes les nouvelles pousses à quatre ou cinq feuilles. Si vous voulez étendre la taille de la plante, laissez quelques pousses grandir. En hiver, rabattez plus sévèrement les tiges.

Les plantes qui fleurissent sur du bois neuf

Les plantes qui fleurissent sur du bois neuf doivent être taillées à la fin de l'hiver ou au printemps.

Fin de l'été

Taillez toutes les nouvelles pousses à 150 mm, soit entre quatre et cinq feuilles.

Les plantes qui fleurissent sur du vieux bois

Les grimpantes qui fleurissent sur du vieux bois doivent être élaguées immédiatement après la floraison, pour qu'elles aient le temps de produire de nouvelles pousses avant l'hiver.

Hiver

Rabattez plus encore les tiges, entre 80 et 100 mm, soit deux ou trois bourgeons.

Autres plantes grimpantes

Une méthode de taille peut rendre une plante grimpante plus ou moins vigoureuse. C'est pourquoi il est important de savoir avant tout si cette plante fleurit sur du bois neuf ou sur du vieux bois. Voici quelques conseils à suivre : enlevez tout le bois malade, agonisant ou mort ; supprimez quelques vieilles tiges pour faciliter la pousse de nouvelles tiges, plus vigoureuses ; empêchez la plante d'emmêler ses tiges. Les grimpantes qui fleurissent sur du vieux bois doivent être taillées immédiatement après la floraison. Celles qui fleurissent sur du bois neuf peuvent attendre la fin de l'hiver ou le printemps.

Fixer une plante à une structure

Il existe une variété de supports qui s'accrochent aux murs ou aux barrières. Le fil de fer est discret et le treillage, décoratif. Pour les petits jardins, utilisez un filet en plastique rigide (de préférence avec une plante touffue pour cacher cet élément fort peu séduisant).

Pour poser un treillage, vissez des tasseaux ou des blocs sur le mur (ou la palissade). Percez des trous dans le mur et posez une cheville par trou. Cela permet d'enrouler les branches autour du treillage et de les attacher.

Le filet en plastique est fourni avec des attaches qui doivent être clouées ou vissées. Le filet peut être enlevé pour nettoyage, ou pour taille de la plante.

UNE ANNÉE DE JARDINAGE

La fin de la saison de croissance est l'époque idéale pour planifier sa nouvelle année de plantation. Car en général, sauf en cas d'hiver rigoureux, le cœur de l'automne est le moment parfait pour planter des herbes.

Plein automne
• Les plantes élevées en pot peuvent être plantées n'importe quand, mais elles s'acclimateront mieux si elles sont plantées à l'automne ou au printemps. Arrosez bien la plante dans son pot avant de planter. Si vous achetez la plante racines nues, plongez la masse de racines dans l'eau avant de la planter.
• Si vous créez une nouvelle plate-bande sur un sol encore vierge, préparez le sol selon la technique du double bêchage expliquée en page 250.
• Plantez des arbres, des arbustes et des herbacées vivaces. Tenez compte de leur taille adulte et de la taille du jardin pour déterminer les intervalles de plantation. Plantez par groupes de trois, cinq ou sept.
• Pour empêcher la menthe d'envahir toute la plate-bande, mettez-la dans un pot puis enterrez le pot.
• Transportez les herbes fragiles dans une serre ou une véranda.
• Faites pousser le persil et l'origan dans des pots et faites-les hiverner sous serre.
• Taillez les grands buissons.

Fin de l'automne
• Plantez des arbres et des arbustes. Plantez les haies basses comme le buis, l'hysope, la rue ou la lavande. Espacez les pieds de 230 mm.
• Couvrez les herbes fragiles pour l'hiver.

Début de l'hiver
• Enlevez les herbacées détrempées et les pousses de l'année mais laissez les autres pousses pour qu'elles protègent les plus petites plantes.
• Gardez la plate-bande propre, comme pour l'été.

Plein hiver
• C'est le bon moment pour réfléchir aux plantes de l'année qui vient. Achetez les graines et planifiez les changements.

Fin de l'hiver
• Semez les graines d'herbes fragiles à l'intérieur.
• Plantez les herbacées vivaces et les arbustes lorsque tout risque de gel est écarté.

Début du printemps
• Arrachez les mauvaises herbes et les plantes mortes.
• Ajoutez de l'engrais au sol et ratissez.
• Premiers semis pour les vivaces annuelles et bisannuelles, si le sol n'est pas trop humide.
• Continuez de planter les herbes en pot, lorsque tout risque de gel est écarté.

Plein printemps
• Transplantez les plantes en pot dans la terre.
• Taillez les pieds de lavande, de sauge et de santoline.
• Taillez les gros buissons.
• Semez les graines et les herbes en pot.
• Paillez de compost domestique ou autre fertilisant végétal.
• Taillez les arbustes méditerranéens comme le romarin et la lavande, pour encourager une nouvelle croissance bien compacte.

• Taillez les jeunes arbustes pour créer une forme propre.

Fin du printemps

• Mettez les plants d'herbes fragiles et semi-vivaces en situation abritée. Ils pourront s'endurcir avant leur plantation.

• Méfiez-vous des gelées tardives.

• Nettoyez du printemps à l'été.

• Posez les tuteurs et les supports.

Début de l'été

• C'est peut-être la meilleure saison pour le jardinage. Le feuillage est frais et bien vert et beaucoup d'herbes peuvent être cueillies.

• Taillez les haies naines et les plantations géométriques.

Plein été

• Ramassez puis conservez dans des enveloppes séparées et étiquetées les graines d'annuelles et de bisannuelles en vue des semis de printemps.

• Récoltez les plantes pour les faire sécher ou pour les conserver.

• Ramassez les pétales de rose et les fleurs de lavande pour en faire des pots-pourris.

Fin de l'été

• Ramassez les pétales et les feuilles de plantes comme la verveine citronnée et les géraniums odorants. Cueillez les herbes pour les faire sécher ou pour les conserver.

• Récoltez les graines lorsqu'elles mûrissent.

• Taillez les haies.

Début de l'automne

• Transplantez les herbes fragiles et semi-vivaces dans un pot puis rentrez-les dans une serre ou dans la maison.

• Ratissez le sol et mettez de l'engrais autour de toutes les plantations permanentes.

Récolte et séchage

Récoltez les herbes par une matinée sèche et chaude. Attendez que l'humidité s'évapore des feuilles, mais procédez à la récolte avant que le soleil soit au zénith. Cueillez les herbes par petites poignées, pour éviter qu'elles ne se froissent et que leur parfum ne s'évapore. Les feuilles sont en général cueillies avant la floraison. Les herbes à petites feuilles doivent être séchées par petites touffes de tiges. Effeuillez-les alors puis gardez les feuilles dans une boîte fermée. Posez les fleurs, tête en haut, sur un plateau recouvert de papier.

LES HERBES EN POT

La culture en pot permet de placer les herbes aromatiques près de la cuisine de façon à ne les récolter que lorsque vous en avez besoin. Faire pousser dans un pot des fines herbes comme le basilic facilite leur déplacement vers une serre ou une véranda durant l'hiver.

Le sol et les conditions de croissance sont aussi plus faciles à contrôler dans un pot que dans un jardin.

Selon les besoins de telle ou telle herbe, vous pouvez adapter le sol, le rendre sablonneux et bien drainé, ou tourbeux et humide. De nombreuses herbes aiment pousser dans une terre sèche et bien drainée, des conditions qui peuvent être facilement recréées dans un pot.

Planter dans un pot

Assurez-vous que le substrat choisi correspond bien au type de l'herbe. Dans une plantation mixte, il est important de prévoir la taille des herbes une fois adultes et le risque éventuel d'empiètement sur d'autres herbes. Notez que ce problème peut être résolu avec une taille élagage et une division annuelle.

Arrosez et vérifiez le taux d'humidité du sol tous les jours. Arrosez dès la fin du printemps et pendant toute la saison de croissance. Arrosez le matin ou le soir, ce sont les meilleurs moments. Laissez une marge de 25 mm minimum entre la surface de terre et le haut du pot. Cette marge sert de réservoir d'eau à la plante. Ajoutez de l'engrais liquide au moins une fois toutes les deux semaines pendant la saison de croissance.

Si les racines commencent à sortir du pot, c'est que ce dernier est trop petit. Rempotez la plante entière dans un pot plus grand ou replantez-la, divisée, dans plusieurs pots.

Adresses utiles

MAGASINS JARDILAND

Animalerie, marché des fleurs, serre chaude, pépinière, boutique déco, mobilier de jardin, outils et produits pour le jardin, jardin aquatique.

www.jardiland.fr/

• ZI Nord/ 25, allée du Moulin
87100 Limoges
Tél. : 05 55 38 86 30

• 2, rue Alphonse Laveran
66100 Perpignan
Tél. : 04 68 85 43 63

• ZA Corbigny
23000 Gueret
Tél. : 05 55 52 33 00

• Route de La Rochelle-Bessines
79000 Niort
Tél. : 05 49 77 26 77

• 2, rue Armand-Peugeot
94510 La Queue-en-Brie
Tél. : 01 45 94 81 82

MAGASINS VILMORIN

Sélection, production et commercialisation de semences potagères et d'arbres à destination des professionnels (maraîchers, producteurs de plants, industriels, pépiniéristes).

www.vilmorin.com

• 31, rue de Nice
06600 Antibes
Tél. : 04 93 74 95 40

• La Rocade
Avenue de Toulouse
12200 Villefranche de Rouergue
Tél. : 05 65 45 46 29

• Route de Bastia
20137 Porto-Vecchio
Tél. : 04 95 70 00 01

• RN 152
45130 La Baule
Tél. : 02 38 45 01 60

• 140, avenue Barthelémy-Buyer
69009 Lyon
Tél. : 04 78 25 44 27

• 316 route d'Aiffres
79000 Niort
Tél. : 05 49 24 18 87

• Olonne-sur-Mer
261, avenue François Mitterand
85340 Olonne-sur-Mer
Tél. : 02 51 95 60 59

MAGASINS DELBARD (Roses)

Vente de rosiers, fruitiers, fleurs, plantes, vivaces, bulbes et accessoires pour le jardin (Vente par correspondance)

www.delbard.com

• 16, quai de la mégisserie
75001 Paris
Tél. : 01 40 26 36 25

• R.N. 13 - 270, av. Napoléon Bonaparte
92500 Rueil Malmaison
Tél. : 01 47 08 62 60

• ZAC du Vivier – Route de la Suze
72700 Allonnes
Tél. : 02 43 80 54 48

• 16, rue Jacques-Godet
ZAC Nord
87000 Limoges
Tél. : 05 55 04 23 00

• Rond-Point route de Bordeaux
65320 Borderes-sur-l'Echez
Tél. : 01 47 08 62 60

MAGASINS TRUFFAUT

Jardins, animaux, décorations et loisirs

www.truffaut.com

• 85, quai de la Gare
75013 Paris
Tél. : 01 53 60 84 50

• Route de Paris
14800 Deauville
Tél. : 02 31 88 18 42

• Centre Alma
Allée d'Ukraine
35200 Rennes Cedex
Tél. : 02 99 50 50 70

• Rue Hipparque
33700 Merignac
Tél. : 05 56 12 91 00

• Centre Commercial Auchan
5, rue du Professeur Maupas
37170 Chambray les Tours
Tél. : 02 47 28 11 62

• 400, rue Michel-Debré
CS 71033
30906 Nîmes cedex 2
Tél. : 04 66 04 00 00

• Pôle 430
Rue de la Forêt
68270 Wittenheim
Tél. : 03 89 57 09 70

MAGASINS VIVE LE JARDIN

Jardins, plantes d'intérieur, animaux, décorations et loisirs

www.vivelejardin.com

• Route Nationale 16
60290 Rantigny
Tél. : 0825 10 10 90

• Route de Moissac
82100 Castelsarrasin
Tél. : 0825 10 10 90

• Vallée de la Couture
27300 Bernay
Tél. : 0825 10 10 90

• ZC La Pioline
Les Milles
13546 Aix-en-Provence Cedex 4
Tél. : 04 42 52 52 52

• 3, rue de Chalons
86000 Poitiers
Tél. : 0825 10 10 90

• ZI Foucaud-Cucurlis
11000 Carcassonne
Tél. : 0825 10 10 90

• ZA de Keramporiel
9, rue Jacques-Noël-Sané
29900 Concarneau
Tél. : 0825 10 10 90

MAGASINS BAOBAB

Un grand choix de plantes vertes ou fleuries. Une large gamme de végétaux pour aménager jardins, et espaces extérieurs.

www.baobab.tm.fr/100.html

• 750, route d'Abbeville
8000 Amiens
Tél. : 03 22 54 19 33

• Rue du Colonel-Armand
35400 St-Malo
Tél. : 02 99 82 47 64

• ZI de Blavozy
43700 Brives Charensac
Tél. : 04 71 03 50 30

• Route de Toulouse
46100 Figeac
Tél. : 05 65 14 15 04

• Rue Pierre Mendes France
30400 Villeneuve-les-Avignons
Tél. : 04 90 25 43 99

• Bld de la Marne
BP 1046
97209 Fort de France
Tél. : 05 96 61 48 15

MAGASINS MAGASIN VERT

• Rue St Marc
22303 Lannion
Tél. : 02 96 14 15 16

• Avenue Fernand Le Corre
29260 Lesneven
Tél. : 02 98 83 13 55

• Rue Keriolet
29900 Concarneau
Tél. : 02 98 50 54 55

MAGASIN COTE NATURE

Jardinerie, animalerie

www.cotenature.com

• 43, quai de la Tour-Bords-de-Seine
78200 Mantes La Jolie
Tél. : 01 30 33 46 56

• 28, avenue de la Gare
30700 Uzès
Tél. : 04 66 57 32 77

• Plaine du pal
46000 Cahors
Tél. : 05 65 20 46 84

• Route des Plages
ZAC St-Claude
83990 St-Tropez
Tél. : 04 94 97 02 76

MAGASIN NALOD'S

Jardinerie, produits de jardin, décoration

www.nalods.com/index.htm

• BP 72
61, rue François-Meunier-Vial
69653 Villefranche-sur-Saône Cedex
Tél. : 04 74 02 21 80

Magasin jardinerie Pichevin
Jardinerie, végétaux, articles de jardin, décoration
www.jardinagepichevin.com

• 195, boulevard Jean Jaurès
37300 Joué lès Tours
Tél. : 02 47 67 06 63

LES MAGASINS GALLY

Jardinerie, décoration, animalerie

www.gally.com

• RN 13 78240 Chambourcy
Tél. : 01 39 65 52 89

• ZC des Sablons?
77410 Claye-Souilly
Tél. : 01 60 27 26 36

• Les Hauts Des Vignes?
91940 Gometz Le Chatel
Tél. : 01 60 12 75 75

MAGASINS CASTORAMA

Outillage, bricolage, jardin

www.castorama.fr

• 92, rue Victor-Hugo
59260 Hellemmes
Tél. : 03 20 19 77 77

• R.N. 63
67452 Lampertheim Cedex
Tél. : 03 88 20 46 22

• Rond Point de la Gaîté
35136 St Jacques de La Lande
Tél. : 02 99 35 36 37

• Place de la Nation
9-11, cours de Vincennes
75020 Paris
Tél. : 01 55 25 14 14

• Z.A.C du Champ Roman
Rue du Champ Roman
Rocade Sud Sortie Péri
38400 Saint-Martin-d'Hères
Tél. : 04 76 42 22

• Centre Commercial Carrefour
Sortie rocade N° 12
33700 Mérignac
Tél. : 05 56 12 19 80

• ZC La Pioline
rue Beauvoisin
13545 Aix-en-Provence Cedex 4
Tél : 04 42 52 22 22

MAGASIN HERMES

Jardinerie, outillage de jardin, poteries en terre, bacs en bois, bacs à réserve d'eau, service paysage…

www.hermesjardinerie.com

• 182, av. Ch.-de-Gaulle
92522 Neuilly-sur-Seine
Tél. : 01 46 24 50 12

Crédits

Les auteurs et les éditeurs aimeraient remercier les personnes et les organisations nommées ci-dessous pour leur contribution à ce livre.

Les propriétaires et les jardiniers qui nous ont autorisés à photographier leurs jardins : Belinda Barnes et Ronald Stuart-Moonlight (Rommany Road, London) ; Jonathan et Sam Buckley (Barry Road, London) ; M et Mme David Cargill ; Ethne Clarke ; M et Mme Robert Clarke ; Mike Crosby Jones (Gopsall Pottery, Winchelsea, Sussex) ; M et Mme Collum (Clinton Lodge, Sussex) ; Vicomte et Vicomtesse de L'Isle ; M and Mme Jeffrey Eker (Old Place Farm, Kent) ; Gordon Fenn et Raymond Treasure (Stockton Bury, Herts) ; Major and Mme Charles Fenwick ; Wendy Francis (The Anchorage, West Wickham, Kent) ; Mme Clive Hardcastle ; Simon et Judith Hopkinson (Hollington Nurseries, Berks) ; M et Mme Derek Howard ; Rosemary Lindsay (Burbage Road, London) ; Christopher Lloyd (Great Dixter, East Sussex) ; Janie Lloyd Owen (Eglatine Road, London) ; Mme Macleod-Matthews (Chenies Manor, Bucks) ; Sue Martin (Frittenden, Kent) ; Dr and Mme Mitchell (Warren Farm Cottages, Hants) ; M et Mme Mogford (Rofford Manor, Oxon) ; David et Mavis Seeney (The Herb Farm, Reading, Berks) ; The Lady Tollemache ; Julian Upston (Cinque Cottage, Ticehurst, East Sussex) ; M et Mme Williams (Marle Place, Kent) ; M and Mme Richard Winch ; Helen Yemm (Brodrick Road, London).

Les propriétaire et les gérants de : Axletree Garden and Nursery, Peasmarsh, East Sussex ; Bates Green, Arlington, East Sussex; Beth Chatto Gardens, Elmstead Market, Essex; Grace Barrand Design Centre, Nutfield, Surrey ; The Chelsea Physic Garden, London ; Terence Conran's Chef's Garden, RHS Flower Show, Chelsea ; Hadspen Garden and Nursery, Castle Cary, Somerset ; Hailsham Grange, Hailsham, East Sussex ; Hatfield House, Herts ; Holkham Hall Garden Centre, Holkham, Norfolk ; King John's Lodge, Etchingham, East Sussex ; Long Barn, Kent ; Marle Place, Brenchley, Kent ; Merriments Garden, Hurst Green, East Sussex ; Queen Anne's, Goudhurst, Kent ; RHS Gardens, Wisley ; Royal Botanic Gardens, Kew ; Snape Cottage, Chaffeymoor, Dorset ; Sticky Wicket Garden, Buckland Newton, Dorset ; Upper Mill Cottage, Loose, Kent ; West Dean Gardens, Sussex (Edward James Foundation) ; Whole Earth Foods, Portobello Road, London ; Wyland Wood, Robertsbridge, East Sussex.

Les photographies au centre des pages 76 et 77, et des pages 94 et 95 sont de Clive Nichols (*Potager-style herb garden with lemon balm in terracotta pot*, Chelsea 1993, National Asthma Campaign garden).

Photographies de Jonathan Buckley : pages 5 au centre, 7, 8–9 au centre, 86, 87, 124, 125, 164 à gauche, 164–165 au centre, 166, 167, 174, 175, 178, 179, 182, 183, 194–195, 196, 197, 200, 201, 204, 205, 208, 209, 220, 221, 224, 225, 228, 229, 232, 233, 236, 237, 240, 241.

Photographies de Marianne Majerus : pages 2, 5 haut et bas, 8 à gauche, 9 droite, 10, 11, 14, 15, 18, 19, 22, 23, 26, 27, 30, 31, 34, 35, 38, 39, 42, 43, 46 et 47, 48, 49, 52, 53, 56, 57, 60, 61, 64, 65, 68, 69, 72, 73, 77 à droite, 78, 79, 82, 83, 106 à gauche, 107 à droite, 116, 117, 120, 121, 128, 129, 144, 145, 148, 149, 152, 153, 156, 157, 190, 191, 212, 213.

Photographies de Stephen Robson : pages 76 à droite, 90, 91, 98, 99, 102, 103, 106 et 107 au centre, 108, 109, 112, 113, 132, 133, 136, 137, 140, 141, 160, 161, 165 à droite, 170, 171, 186, 187, 216, 217.

Index

Remerciements

En plus des propriétaires et des établissements mentionnés en page 265, les auteurs aimeraient remercier la Duchesse Gill d'Hamilton pour leur avoir prêté ses urnes ; Peter Goodwins et Jack Bell pour la menuiserie et la maçonnerie ; et, pour leur avoir prêté leurs plantes, Brian et Rosemary Clifton-Sprig, John Powles de la Romantic Garden Nursery, Swannington, Norfolk, Jane Seabrook, ainsi que The Chelsea Gardener.

Jane Seabrook a elle-même conçu deux projets : la composition verticale de la page 120 et le panier en fil de fer de la page 156. La bordure en brique de la page 78 a été conçue par Anthony O'Grady, chef jardinier au Penshurst Place, Kent. L'allée bordée d'aromatiques de la page 94 a été conçue par Lucy Huntington. Tous les autres projets ont été réalisés par les auteurs.

Ce livre est une compilation de six autres titres par Lynn Bryan, Caroline Davison, Toria Leitch, Sarah Polden et Marek Walisiewicz. La mise en pages est de Liz Brown, Ingunn Jensen, Mark Latter et Paul Reid. Caroline Davison et Larraine Shamwana ont apporté leur contribution lors des reportages photos.